A voz na sua cabeça

A voz na
sua cabeça

A voz na sua cabeça

Ethan Kross

SEXTANTE

Título original: *Chatter*

Copyright © 2021 por Ethan Kross
Copyright da tradução © 2021 por GMT Editores Ltda.

Todos os direitos reservados. Nenhuma parte deste livro pode ser
utilizada ou reproduzida sob quaisquer meios existentes
sem autorização por escrito dos editores.

tradução: Claudio Carina
preparo de originais: Emanoelle Veloso
revisão: Hermínia Totti e Luis Américo Costa
diagramação: Valéria Teixeira
capa: Anna Kochman
adaptação de capa: Gustavo Cardozo
impressão e acabamento: Lis Gráfica e Editora Ltda.

CIP-BRASIL. CATALOGAÇÃO NA PUBLICAÇÃO
SINDICATO NACIONAL DOS EDITORES DE LIVROS, RJ

K94v

Kross, Ethan
    A voz na sua cabeça / Ethan Kross ; tradução Claudio Carina. - 1. ed. - Rio
de Janeiro : Sextante, 2021.
    240 p. ; 23 cm.

    Tradução de: Chatter
    ISBN 978-65-5564-184-4

    1. Autoconsciência (Psicologia). 2. Pensamento. 3. Comunicação -
Aspectos psicológicos. I. Carina, Claudio. II. Título.

21-71664   CDD: 158.1
                                               CDU: 159.923.2

Meri Gleice Rodrigues de Souza - Bibliotecária - CRB-7/6439

Todos os direitos reservados, no Brasil, por
GMT Editores Ltda.
Rua Voluntários da Pátria, 45 – 14º andar – Botafogo
22270-000 – Rio de Janeiro – RJ
Tel.: (21) 2538-4100
E-mail: atendimento@sextante.com.br
www.sextante.com.br

Ao meu pai, por me ensinar a olhar
para dentro, e a Lara, Maya e Dani,
meus antídotos definitivos contra
o falatório mental.

O maior desafio, acredito, é sempre
manter sua bússola moral. Essas são as
conversas que mantenho internamente.
Comparo minhas ações com essa voz
interna que é audível, pelo menos para mim,
e que me diz quando estou no caminho
certo e quando estou me desviando dele.[1]

— BARACK OBAMA

A voz dentro da minha cabeça
é uma idiota.[2]

— DAN HARRIS

Sumário

Introdução, 9

capítulo um
Por que falamos com nós mesmos, 21

capítulo dois
Quando falar com nós mesmos é um tiro
que sai pela culatra, 37

capítulo três
Diminuindo o zoom, 59

capítulo quatro
Quando eu me torno você, 79

capítulo cinco
O poder e o perigo que vêm dos outros, 97

capítulo seis
De fora para dentro, 117

capítulo sete
A magia da mente, 135

Conclusão, 155

As ferramentas, 165

Agradecimentos, 175

Notas, 179

Introdução

Estou na escuridão da minha sala de estar, as juntas dos dedos esbranquiçadas, as mãos crispadas no cabo de borracha pegajoso do taco de beisebol da liga infantil, olhando a noite pela janela, tentando desesperadamente proteger minha mulher e minha filha recém-nascida de um maluco que nunca conheci. Qualquer reflexão sobre o que estava fazendo, ou sobre o que de fato eu poderia fazer se o maluco aparecesse, havia sido eliminada pelo medo que sentia. Os pensamentos que passavam pela minha cabeça repetiam a mesma coisa.

É tudo culpa minha, dizia a mim mesmo. *Tenho uma bebê saudável e adorável e uma mulher que me ama. E coloquei as duas em risco. O que eu fiz? Como vou resolver isso?*

Esses pensamentos eram como um parque de diversões de terror do qual não conseguia escapar.

Lá estava eu, preso – não só na minha sala escura, mas também no pesadelo da minha mente. Eu, um cientista que administra um laboratório especializado no estudo do *autocontrole*, um especialista em como domar implacáveis espirais de pensamentos negativos, vigiando a janela de casa às três da manhã com um taco de beisebol minúsculo nas mãos, torturado não pelo bicho-papão que me mandou uma carta transtornada, mas pelo bicho-papão dentro da minha cabeça.

Como fui parar nessa situação?

A carta e a tagarelice

Aquele dia começou como qualquer outro.

Acordei cedo, me vesti, ajudei a alimentar minha filha, troquei sua fralda e tomei rapidamente o café da manhã. Em seguida beijei minha esposa e saí porta afora em direção ao meu escritório no campus da Universidade de Michigan. Era um dia frio mas tranquilo e ensolarado da primavera de 2011, um dia que parecia prometer pensamentos igualmente tranquilos e ensolarados.

Quando cheguei ao East Hall, o gigantesco prédio forrado de tijolos que abriga o Departamento de Psicologia da Universidade de Michigan, encontrei algo incomum na minha caixa de correio. Em cima da pilha de periódicos científicos acumulados havia um envelope escrito à mão endereçado a mim. Curioso sobre o que havia dentro – era raro receber correspondência escrita à mão no trabalho –, abri a carta e comecei a ler enquanto andava em direção a minha sala. Foi então que, antes mesmo de perceber como estava fazendo calor, senti uma onda de suor escorrer pelo pescoço.

A carta era uma ameaça. A primeira que recebia na vida.

Na semana anterior eu havia participado brevemente do *CBS Evening News*[1] para falar sobre um estudo de neurociência que meus colegas e eu tínhamos acabado de publicar, demonstrando que as relações entre as dores físicas e emocionais eram mais equivalentes do que indicavam pesquisas anteriores. Na verdade, o cérebro registrava as dores físicas e emocionais de maneiras notavelmente semelhantes. Isso implicava que a angústia era uma realidade física.

Eu e meus colegas ficamos empolgados com os resultados, mas não imaginávamos que gerassem mais do que um punhado de ligações de jornalistas dos cadernos de ciências em busca de uma reportagem corriqueira. Para nossa surpresa, as descobertas viralizaram. Em um momento eu estava dando uma aula para alunos de graduação sobre a psicologia do amor e no momento seguinte estava fazendo um curso intensivo de mídia num estúdio de televisão no campus. Consegui passar pela entrevista sem tropeçar demais nas palavras e algumas horas depois a matéria sobre o nosso trabalho foi ao ar – os quinze minutos de fama de um cientista, que na verdade não passaram de cerca de noventa segundos.

O que exatamente nossa pesquisa fez para ofender o autor da carta não estava claro, mas as difamações odiosas, as mensagens perturbadoras e os desenhos violentos contidos no texto deixaram pouco para minha imaginação quanto aos sentimentos daquela pessoa em relação a mim, ao mesmo tempo que deixaram muito em que pensar sobre as formas que essas ofensas poderiam assumir. Para piorar as coisas, a carta não viera de um local distante. Uma rápida busca no Google pelo carimbo postal revelou que fora enviada de mais ou menos vinte quilômetros de distância. Meus pensamentos começaram a girar de forma incontrolável. Em uma reviravolta cruel do destino, agora era eu quem sentia uma dor emocional tão intensa que parecia física.

Mais tarde naquele dia, após várias conversas com administradores da faculdade, me vi sentado na delegacia local, esperando ansiosamente minha vez de ser atendido. Embora tenha sido delicado, o policial a quem contei minha história não foi particularmente tranquilizador. Deu três conselhos: ligar para a companhia telefônica e pedir para retirar o número do meu telefone residencial da lista, ficar de olho em pessoas suspeitas rondando meu escritório e – meu favorito – dirigir do trabalho para casa por um trajeto diferente a cada dia para que ninguém ficasse sabendo da minha rotina. Só isso. Ninguém ia mandar uma força-tarefa especial. Eu estava por conta própria. Não foi exatamente a resposta reconfortante que esperava ouvir.

Enquanto percorria um longo e tortuoso caminho de volta para casa naquele dia pelas ruas arborizadas de Ann Arbor, tentei encontrar uma forma de lidar com a situação. Pensei comigo mesmo: *Vamos rever os fatos. Será que devo ficar preocupado? O que preciso fazer?*

Segundo o policial e várias outras pessoas a quem contei minha história, havia maneiras claras de responder a essas perguntas. *Não, você não precisa se estressar com isso. Essas coisas acontecem. Não há nada que você possa fazer. É normal ficar assustado. Relaxe. Figuras públicas recebem ameaças vazias o tempo todo e nada acontece. Isso não vai dar em nada.*

Mas não foi essa a conversa que tive comigo mesmo. O aflitivo fluxo de pensamentos passando pela minha cabeça se ampliou num loop infinito. *O que eu fiz?,* minha voz interna gritava antes de ser substituída por minha máquina de frenesi interna. *Devo ligar para uma empresa de alarmes? Comprar uma arma? Devemos nos mudar? Em quanto tempo eu consigo arranjar um novo emprego?*

Versões dessa conversa se repetiram vezes e mais vezes na minha cabeça pelos dois dias seguintes e como resultado virei uma pilha de nervos. Perdi o apetite e não parava de falar (e de forma improdutiva) sobre a carta ameaçadora com minha mulher, a ponto de começar a aumentar a tensão entre nós. Tinha sobressaltos tremendos cada vez que ouvia o menor ruído no quarto da minha filha, imaginando instantaneamente uma grande ameaça, e não uma explicação mais óbvia – como um berço rangendo ou um bebê com gases.

E andava de um lado para outro.

Por duas noites, enquanto minha mulher e minha filha dormiam pacificamente, eu fiquei vigiando o andar de baixo, de pijama, com meu pequeno taco de beisebol nas mãos, espiando pela janela da sala para ver se alguém se aproximava, sem nenhum plano sobre o que faria se realmente avistasse alguém escondido lá fora.

No meu momento mais constrangedor, quando minha ansiedade atingiu o pico na segunda noite, sentei em frente ao computador e considerei fazer uma pesquisa no Google com as palavras-chave "guarda-costas para acadêmicos" – algo absurdo em retrospectiva, mas lógico e urgente na época.

Olhando para dentro

Sou psicólogo experimental e neurocientista. Estudo a ciência da introspecção no Laboratório de Emoção e Autocontrole, um centro de estudos que fundei e dirijo na Universidade de Michigan. Nossa pesquisa é sobre as conversas silenciosas que as pessoas têm consigo mesmas, que influenciam intensamente a maneira como vivemos nossa vida. Passei toda a minha carreira pesquisando essas conversas – o que são, por que elas existem e como podem ser utilizadas para tornar as pessoas mais felizes, mais saudáveis e mais produtivas.

Meus colegas e eu gostamos de nos ver como mecânicos da mente. Trazemos pessoas para o nosso laboratório para participar de experimentos elaborados, mas também as estudamos "na selva" da experiência humana cotidiana. Usamos ferramentas da psicologia e de outras disciplinas – campos tão diversos como medicina, filosofia, biologia e ciência da computação – para responder a perguntas incômodas como: Por que algumas pessoas conseguem se beneficiar da introversão para entender os próprios sentimentos, enquanto outras desmoronam quando fazem exatamente a mesma coisa? Como alguém pode raciocinar com sensatez sob estresse tóxico? Existem maneiras certas e erradas de falar consigo mesmo? Como podemos nos comunicar com as pessoas de quem gostamos sem alimentar seus pensamentos e sentimentos negativos ou aumentar os nossos? As incontáveis "vozes" de outras pessoas que encontramos nas redes sociais afetam as vozes da nossa cabeça? Ao examinar rigorosamente essas questões, fizemos inúmeras descobertas surpreendentes.

Aprendemos como coisas específicas que dizemos e fazemos podem melhorar nossas conversas internas. Aprendemos como abrir a fechadura das portas dos fundos "mágicas" do cérebro e como certas maneiras de empregar placebos, amuletos da sorte e rituais podem nos tornar mais resistentes. Aprendemos quais imagens colocar em nossa mesa de trabalho para ajudar a nos recuperar de lesões emocionais (dica: fotos da Mãe Natureza podem ser tão reconfortantes quanto fotos da nossa mãe), por que agarrar um bichinho de pelúcia pode ajudar no desespero existencial, como falar e como não falar com seu parceiro depois de um dia difícil, o que você pode estar fazendo de errado ao acessar as redes sociais e aonde deve ir quando fizer caminhadas para lidar com os problemas que enfrenta.

Meu interesse em como nossas conversas internas influenciam nossas emoções começou muito antes de eu considerar uma carreira na ciência. Começou antes mesmo de eu realmente entender o que eram sentimentos. Meu fascínio pelo mundo rico, frágil e em constante mudança que carregamos entre nossas orelhas remonta ao primeiro laboratório de psicologia em que pus os pés: a casa onde cresci.

Fui criado no bairro operário de Canarsie, no Brooklyn, com um pai que me ensinou desde muito cedo a importância da autorreflexão. Imagino que, enquanto os pais da maioria das outras crianças de 3 anos estavam ensinando os filhos a escovar os dentes regularmente e tratar os outros com educação, meu pai tinha outras prioridades. Em seu estilo tipicamente não convencional, estava mais preocupado com minhas escolhas internas do que com qualquer outra coisa, sempre me incentivando a "olhar para dentro" se eu tivesse um problema. Gostava de me dizer: "Faça *a* pergunta a si mesmo." Eu não entendia exatamente a que pergunta ele se referia, mas em algum nível profundo sabia o que ele estava me estimulando a fazer: *Procure as respostas dentro de si mesmo.*

Em muitos aspectos, meu pai era uma contradição ambulante. Quando não estava se desviando de outros motoristas nas ruas barulhentas e congestionadas de Nova York ou torcendo pelos Yankees em casa em frente à televisão, eu o via meditando no quarto (geralmente com um cigarro pendurado sob o bigode espesso) ou lendo o *Bhagavad Gita.* Mas à medida que fui crescendo e me deparando com situações mais complexas do que decidir se deveria comer um biscoito proibido ou me recusar a limpar meu quarto, seu conselho foi ganhando mais peso. Devo convidar a garota de quem eu gosto para sair? (Eu convidei; ela disse não.) Devo confrontar meu amigo depois de tê-lo visto roubando a carteira de alguém? Qual faculdade deveria cursar? Tinha orgulho de pensar de cabeça fria, e minha confiança na prática de "olhar para dentro" para tomar a decisão certa raramente falhava (e um dia uma garota disse sim; eu me casei com ela).

Não foi uma surpresa quando a descoberta do campo da psicologia pareceu predeterminada para mim. Era a minha vocação. A psicologia explorava as coisas sobre as quais conversava com o meu pai na juventude quando não estávamos falando sobre os Yankees; parecia explicar minha infância e me mostrar um caminho para a vida adulta. A psicologia também me deu um novo vocabulário. Nas minhas aulas na faculdade aprendi, entre muitas outras coisas, que o que meu pai pregava durante todos aqueles anos de orientação zen paterna – que minha mãe nada excêntrica teve que aguentar – era a ideia da introspecção.

No sentido mais básico, introspecção significa simplesmente prestar atenção nos próprios pensamentos e sentimentos. A capacidade de fazer isso é o que nos permite imaginar, lembrar, refletir e depois usar esses devaneios para resolver problemas, inovar e criar. Muitos cientistas, inclusive eu, veem isso como um dos avanços evolutivos essenciais[2] que diferenciam os seres humanos de outras espécies.

Assim, o raciocínio de meu pai sempre foi o de que cultivar a capacidade de introspecção me ajudaria em quaisquer situações desafiadoras que encontrasse. A autorreflexão dirigida levaria a escolhas sábias e benéficas, e por extensão a emoções positivas. Em outras palavras, "olhar para dentro" era o caminho para uma vida resiliente e gratificante. Isso fazia todo o sentido. Só que, como eu logo perceberia, para muita gente isso dava totalmente errado.

Nos últimos anos[3] uma robusta série de novas pesquisas demonstrou que, quando sofremos, a introspecção costuma causar muito mais danos que benefícios. Prejudica nosso desempenho no trabalho, interfere na nossa capacidade de tomar decisões acertadas e influencia negativamente nossos relacionamentos. Também pode fomentar violência e agressão, contribuir para uma série de transtornos mentais e aumentar nosso risco de adoecer fisicamente. Usar a mente para se envolver com pensamentos e sentimentos da maneira errada pode levar atletas profissionais a perder as habilidades que desenvolveram durante a carreira. Pode fazer pessoas racionais e solidárias tomarem decisões menos lógicas e até mesmo menos éticas. Isso pode fazer seus amigos fugirem de você, tanto no mundo real quanto nas redes sociais. Pode transformar relacionamentos românticos de refúgios seguros em campos de batalha. Pode até contribuir para o envelhecimento precoce, tanto na nossa aparência externa quanto na configuração interna do nosso DNA. Em suma, muitas vezes nossos pensamentos *não nos salvam* de nossos pensamentos. Em vez disso, dão origem a algo traiçoeiro.

O falatório mental.

O falatório consiste em emoções e pensamentos negativos cíclicos que transformam nossa capacidade singular de introspecção em uma maldição, e não numa bênção. Põe em risco nosso desempenho, nossa capacidade de tomar decisões, nossos relacionamentos, nossa saúde e nossa felicidade. Pensamos sobre aquela confusão no trabalho ou em algum mal-entendido com um ente querido e acabamos nos sentindo mal. Aí pensamos sobre isso de novo. E mais uma vez. Mergulhamos na introspecção na esperança de entrar em contato com nosso orientador interno, mas encontramos nosso crítico interno.

A questão, claro, é *por que isso acontece.* Por que as tentativas das pessoas de "olhar para dentro" e pensar quando se sentem aflitas às vezes funcionam e outras vezes fracassam? E, igualmente importante: quando percebemos que nossa capacidade introspectiva está saindo do curso, o que podemos fazer para colocá-la de volta nos trilhos? Passei minha carreira estudando essas questões. Aprendi que as respostas dependem de mudar a natureza de uma das conversas mais importantes da vida consciente: as que temos com nós mesmos.

Nosso modo padrão

Um mantra cultural muito difundido no século XXI é a ideia de *viver no presente*. Reconheço a sabedoria dessa máxima. Em vez de sucumbir à dor do passado ou à ansiedade quanto ao futuro, ela nos aconselha a nos concentrarmos na relação com os outros e com nós mesmos agora. Porém, como cientista que estuda a mente humana, não posso deixar de notar como essa mensagem bem-intencionada vai contra a nossa biologia. Os humanos não foram feitos para se ater o tempo todo ao presente. Não foi para isso que nosso cérebro evoluiu.

Nos últimos anos, métodos avançados de estudo sobre como o cérebro processa informações, que nos permitem monitorar o comportamento em tempo real, desvendaram os mecanismos ocultos da mente humana. Ao fazer isso, descobriram algo notável sobre nossa espécie: nós passamos de um terço a metade do nosso estado de vigília *não* vivendo no presente.[4]

Nós nos "desacoplamos" do aqui e agora tão naturalmente quanto respiramos, com nosso cérebro nos transportando para eventos passados, cenários imaginários e outras reflexões internas. Essa tendência é tão fundamental que tem um nome: "modo padrão".[5] É a atividade à qual nosso cérebro se volta automaticamente quando não está ocupado com outras coisas, e muitas vezes mesmo quando estamos ocupados com outras coisas. Sem dúvida você já deve ter notado que sua mente vagueia, como que por vontade própria, quando deveria estar concentrada em alguma tarefa. Estamos perpetuamente escapulindo do presente[6] para o mundo paralelo e não linear da nossa mente, involuntariamente sugados "para dentro" minuto a minuto. Sob essa luz, a expressão "vida mental" adquire um significado novo e mais abrangente: grande parte da nossa vida *é* a mente. Então, o que costuma acontecer durante essas escapulidas?

Nós falamos para nós mesmos.

E ouvimos o que dizemos.

A humanidade está engalfinhada com esse fenômeno desde o início da civilização.[7] Os primeiros místicos cristãos ficavam tremendamente irritados com a voz dentro da cabeça que sempre se intrometia em suas contemplações em silêncio. Alguns até consideravam essas vozes demoníacas. Na mesma época, no Oriente, os budistas chineses teorizaram sobre o clima mental turbulento que podia enevoar a paisagem emocional. Eles o chamaram de "pensamento iludido". No entanto, muitas dessas mesmas culturas antigas acreditavam que essa voz interna era uma fonte de sabedoria, uma convicção que sustenta várias práticas milenares, como a oração silenciosa e a meditação (a filosofia pessoal do meu pai). O fato de várias tradições espirituais ao mesmo tempo temerem nossa voz interna e perceberem seu valor remete às atitudes ambivalentes das nossas conversas internas que persistem até hoje.

Quando falamos sobre a voz interna, as pessoas logo pensam sobre seus aspectos patológicos. Muitas vezes começo palestras perguntando aos presentes na plateia se eles falam consigo mesmos mentalmente. E sempre percebo que muita gente parece aliviada ao ver outras mãos se erguerem ao seu redor. Infelizmente, as vozes normais que ouvimos na nossa cabeça (pertencentes, por exemplo, a nós mesmos, a parentes ou colegas) às vezes podem se transformar em vozes anormais características de doença mental. Nesses casos, a pessoa não acha que a voz sai da sua mente, mas acredita que venha de outra entidade (pessoas hostis, alienígenas e o governo, para citar algumas alucinações auditivas comuns). É importante ressaltar que, quando falamos sobre a voz interna, a diferença entre doença mental e bem-estar não é uma questão de dicotomia – patológico versus saudável –, mas de cultura e grau. Uma peculiaridade do cérebro humano é que aproximadamente uma em cada dez pessoas[8] ouve vozes e as atribui a fatores externos. Ainda estamos tentando entender por que isso acontece.

O fato é que, de uma forma ou de outra, todos nós temos uma voz em nossa cabeça. O fluxo das palavras é tão inextricável da nossa vida interna que persiste mesmo em face de deficiências vocais.[9] Algumas pessoas que gaguejam, por exemplo, afirmam que falam mentalmente com mais fluência do que em voz alta. Surdos que usam a linguagem de sinais também falam consigo mesmos, embora tenham a própria forma de linguagem interna. Envolve sinalizar silenciosamente para si mesmo,[10] à semelhança da maneira como pessoas que podem ouvir usam palavras para falar consigo mesmas em particular. A voz interna é uma característica básica da mente.

Qualquer um que já repetiu silenciosamente um número de telefone para memorizá-lo, recordou uma conversa imaginando o que deveria ter dito ou debateu consigo mesmo sobre como resolver um problema já utilizou sua voz interna. A maioria das pessoas confia e se beneficia disso todos os dias. E, quando se desligam do presente, em geral é para conversar com essa voz ou ouvir o que ela tem a dizer – e ela pode ter *muito* a dizer.

Nosso fluxo verbal de pensamento é tão laborioso que, de acordo com um estudo, falamos internamente com nós mesmos numa proporção equivalente a 4 mil palavras por minuto[11] em voz alta. Para se ter uma dimensão do que é isso, considere que os discursos sobre o estado da União dos presidentes contemporâneos dos Estados Unidos normalmente têm cerca de 6 mil palavras e duram mais de uma hora.[12] Nosso cérebro compacta quase a mesma verborragia em apenas sessenta segundos. Isso significa que se ficarmos acordados por dezesseis horas em um determinado dia, como a maioria de nós faz, e nossa voz interna se mantiver ativa em cerca de metade desse tempo, teoricamente podemos ouvir cerca de 320 discursos políticos por dia. A voz na nossa cabeça fala muito depressa.

Apesar de a voz interna funcionar bem na maior parte do tempo, muitas vezes ela acaba em um falatório exatamente quando mais precisamos dela – quando o estresse aumenta, quando há muita coisa em jogo ou nos vemos diante de emoções difíceis que exigem o máximo de equilíbrio. Às vezes esse falatório assume a forma de um solilóquio desconexo; outras vezes é um diálogo que temos com nós mesmos. Às vezes é uma rememoração compulsiva de acontecimentos passados (*ruminação*); outras vezes é uma imaginação angustiada de eventos futuros (*preocupação*). Às vezes é um ricocheteio de livres associações entre ideias e sentimentos negativos. Outras vezes é uma fixação em um sentimento específico ou uma ideia desagradável. Sempre que isso acontece, quando a voz interna se descontrola e o falatório assume o microfone mental, nossa mente não só nos atormenta como também nos paralisa. E ainda pode nos levar a fazer coisas que nos sabotam.[13]

E geralmente é assim que você acaba vigiando a janela tarde da noite segurando um taco de beisebol ridiculamente pequeno.

O enigma

Uma das conclusões mais importantes a que cheguei durante minha carreira é que os instrumentos de que precisamos para reduzir o falatório e controlar nossa voz interna estão escondidos à vista de todos, esperando que os coloquemos em ação. Estão presentes nos nossos hábitos mentais, no nosso comportamento e na nossa rotina, bem como nas pessoas, nas organizações e nos ambientes com os quais interagimos. Neste livro vou discorrer sobre esses instrumentos e explicar não apenas como funcionam, mas como se complementam para formar a caixa de ferramentas que a evolução criou para nos ajudar a administrar nossas conversas internas.

Nos próximos capítulos vou levar o laboratório até você e também contar histórias de pessoas que combatem o próprio falatório. Você vai saber sobre a vida mental de Fred Rogers, ex-agente da Agência de Segurança Nacional dos Estados Unidos, de Malala Yousafzai, de LeBron James, de uma nação indígena das ilhas Trobriand, no Pacífico Sul, bem como de várias pessoas como você e eu. Mas, para começar este livro, primeiro veremos o que exatamente é a voz interna e todas as coisas maravilhosas que ela faz por nós. Depois vou nos levar ao lado sombrio dessas conversas e à extensão realmente assustadora dos males que o falatório pode causar ao nosso corpo, à nossa vida social e à nossa carreira. Essa tensão inescapável entre a voz interna como um superpoder útil ou como uma criptonita destrutiva é o que considero o grande enigma da mente humana. Como a voz que atua como nosso melhor orientador também pode ser nosso pior crítico? Os capítulos a seguir apresentarão técnicas científicas que podem reduzir o falatório – técnicas que estão nos ajudando rapidamente a resolver o enigma da mente.

A chave para vencer o falatório não é parar de falar consigo mesmo. O desafio é descobrir como falar comigo mesmo de forma mais eficaz. Felizmente, tanto sua mente quanto o mundo ao seu redor foram projetados para ajudá-lo a fazer exatamente isso. Mas, antes de discutirmos sobre como controlar essa voz, precisamos responder a uma pergunta básica.

Afinal, por que nós temos essa voz na cabeça?

capítulo um

Por que falamos com nós mesmos

As calçadas da cidade de Nova York são rodovias de anonimato. Durante o dia, milhões de pedestres marcham determinados pela calçada, com expressões que parecem máscaras que nada revelam. Essas mesmas expressões permeiam o mundo paralelo sob as ruas – o metrô. As pessoas leem, consultam o celular e olham para o grande nada invisível, com uma expressão completamente desconectada do que acontece na cabeça delas.

Claro que os rostos insondáveis de 8 milhões de nova-iorquinos escondem o mundo fervilhante do outro lado da parede em branco que aprenderam a erguer: uma "paisagem de pensamentos" oculta de conversas internas vívidas e ativas, frequentemente perdidas no falatório. Afinal, os moradores de Nova York são quase tão famosos por suas neuroses quanto por sua rispidez. (Como nativo, digo isso com carinho.) Imagine, então, o que poderíamos aprender se pudéssemos espiar através dessas máscaras e bisbilhotar suas vozes internas. Pois foi exatamente isso que o antropólogo britânico Andrew Irving fez ao longo de quatorze meses,[1] começando em 2010 – ouviu a mente de pouco mais de cem nova-iorquinos.[2]

Embora Irving almejasse um vislumbre da vida verbal bruta da mente humana – ou melhor, uma amostra de áudio dela –, a origem de seu estudo na verdade teve a ver com seu interesse em como lidamos com a consciência da morte. Professor da Universidade de Manchester, ele havia feito um trabalho de campo anterior na África[3] analisando monólogos internos vocalizados por pessoas diagnosticadas com HIV/ Aids. Não foi surpresa que os pensamentos dessas pessoas se mostrassem perturbados pela angústia, pela incerteza e pela dor emocional causadas por seus diagnósticos.

Agora Irving queria comparar essas descobertas com um grupo de pessoas que tinham seus problemas, mas não se sentiam necessariamente tão atormentadas por eles. Para fazer isso, ele simplesmente (e corajosamente!) abordou nova-iorquinos nas ruas, em parques e cafeterias, explicou seu estudo e perguntou se estariam dispostos a expressar seus pensamentos em voz alta num gravador enquanto os filmava a distância.

Em alguns dias, um punhado de gente dizia que sim, em outros só uma. Era de esperar que a maioria dos nova-iorquinos estivesse muito ocupada ou cética para concordar. Por fim, Irving reuniu seus cem "fluxos de discursos representados internamente", como ele os definiu, em gravações que variam de quinze minutos a uma hora e meia. As gravações obviamente não fornecem um passe de acesso total aos bastidores da mente, pois alguns detalhes podem ter sido bloqueados por alguns participantes. Mesmo assim, elas oferecem uma janela de rara transparência para as conversas que as pessoas têm consigo mesmas enquanto vivem sua vida diária.

Como era natural, preocupações prosaicas ocuparam espaço na mente de todos no estudo de Irving. Muitos comentaram sobre o que viam nas ruas – outros pedestres, motoristas e o trânsito, por exemplo – bem como sobre coisas que precisavam fazer. Porém, ao lado dessas reflexões banais, houve monólogos que lidavam com uma série de mágoas, angústias e preocupações pessoais. Muitas vezes as narrativas caíam em conteúdos negativos absolutamente sem qualquer transição, como se de repente surgisse um buraco aberto na trilha desenvolvida pelo pensamento. Considere, por exemplo, uma mulher no estudo de Irving chamada Meredith, cuja conversa interna mudou de preocupações cotidianas para questões literais de vida e morte em segundos.

"Será que tem uma loja da Staples por aqui", disse Meredith antes de mudar bruscamente de pista e falar sobre o recente diagnóstico de câncer de uma amiga. "Eu achei que ela ia me dizer que o gato dela morreu." Ela atravessou a rua e continuou: "Já estava preparada para chorar pelo gato, mas agora estou tentando não chorar por ela. Quer dizer, Nova York sem Joan nem faz... nem consigo imaginar." Meredith começou a chorar. "Mas acho que ela vai ficar bem. Eu adorei a história sobre ter 20% de chance de ser curada e sobre como uma amiga dela falou: 'Você pegaria um avião com 20% de chance de cair?' Não, claro que não. Mas foi difícil falar sobre isso. Ela ficou tentando desconversar."

Meredith parecia estar ponderando sobre a má notícia, e não se afogando nela. Pensamentos sobre emoções desagradáveis não são necessariamente falatórios, e esse é um desses casos. Meredith não entrou em parafuso. Poucos minutos depois, ao atravessar outra rua, seu fluxo verbal voltou à sua tarefa: "Mas será que não tem uma Staples por aqui? Eu acho que tem."

Enquanto Meredith processava seu medo de perder uma amiga querida, um homem chamado Tony se fixou em outro tipo de luto: a perda de intimidade em um relacionamento e talvez até o relacionamento em si. Levando uma bolsa grande no ombro pela calçada cheia de pedestres, ele começou uma sequência de pensamentos autorreferenciais: "Deixa pra lá... Ou aceita. Ou sai dessa. Melhor se afastar. Eu entendo essa coisa de não contar pra todo mundo. Mas eu não sou todo mundo. Eles vão ter um filho, pô. Podiam ao menos me dar uma ligada." A sensação de exclusão que sentia obviamente o magoava profundamente. Ele parecia se equilibrar numa espécie de encruzilhada, entre um problema que precisava de solução e uma mágoa que não levaria a lugar algum.

"Claro, tudo muito claro. Sair dessa", disse Tony em seguida. Usava a linguagem não só para dar voz às suas emoções, mas também em busca da melhor forma de lidar com a situação. "A questão é que pode ser uma saída", continuou. "Quando eles disseram que iam ter um filho eu me senti um pouco excluído. Me senti meio rejeitado. Mas pode ser uma porta de saída. Eu fiquei chateado, devo admitir, mas não estou mais. Talvez tenha sido melhor assim." Deu uma risadinha amargurada, depois suspirou. "Com certeza é uma saída... Agora estou vendo o lado positivo... Eu fiquei chateado. Via eles dois como se fossem uma família... e agora eles *são* uma família. E eu tenho uma saída... Vamos nessa!"

Depois foi a vez de Laura.

Ela estava numa cafeteria, bem inquieta. Esperava notícias do namorado, que tinha ido a Boston. O problema era que ele deveria ter voltado para ajudá-la a se mudar para um novo apartamento. Estava esperando um telefonema desde o dia anterior. Convencida de que o namorado tinha sofrido algum acidente fatal, na noite anterior ficou quatro horas na frente do computador atualizando a cada minuto uma busca pelas palavras-chave "acidente de ônibus". No entanto, como lembrou a si mesma, o turbilhão de sua preocupação compulsiva não era apenas sobre um possível acidente de ônibus envolvendo o namorado. Os dois tinham um relacionamento aberto. Não era o que ela desejava, e acabou que estava sendo muito difícil. "A ideia é termos liberdade sexual", disse a si mesma, "mas é uma coisa que nunca quis para mim... Não sei onde ele está... Pode estar em qualquer lugar. Pode estar com outra garota."

Enquanto Meredith processava notícias perturbadoras com relativa equanimidade (chorar pelo diagnóstico de câncer de uma amiga é normal) e Tony calmamente se preparava para seguir em frente, Laura se prendia à repetição de pensamentos negativos. Não sabia como sair daquilo. Ao mesmo tempo, seu monólogo interno recuava no tempo, com reflexões sobre as decisões que levaram sua relação ao estado atual. Para ela o passado estava muito presente, como no caso de Meredith e Tony. As situações específicas de cada um os levavam a processar suas experiências de maneira diferente, mas todos estavam considerando coisas que já tinham acontecido. Ao mesmo tempo, os monólogos também se projetavam no futuro, com perguntas sobre o que aconteceria ou o que deveriam fazer. Esse jogo de amarelinha no tempo e no espaço nas conversas internas ressalta algo que todos notamos sobre nossa mente: a avidez de viajar no tempo.[4]

Embora a estrada da memória possa nos desviar para a estrada do falatório, não há nada inerentemente prejudicial em retornar ao passado ou imaginar o futuro. A capacidade de viajar mentalmente no tempo é uma característica valiosa da mente humana. Isso nos permite dar sentido às nossas experiências de maneiras que outros animais não conseguem, sem mencionar fazer planos e nos prepararmos para contingências no futuro. Assim como falamos com amigos sobre coisas que fizemos e coisas que faremos ou gostaríamos de fazer, falamos com nós mesmos sobre essas mesmas coisas.

Outros voluntários no experimento de Irving também demonstraram preocupações que viajavam no tempo, entrelaçando-se no ritmo da voz interna. Por exemplo, ao atravessar uma ponte, uma mulher mais velha lembrou-se de estar passando por aquela ponte com o pai ainda menina quando um homem se jogou e se suicidou. Era uma lembrança indelével, em parte porque o pai era fotógrafo profissional e tirou uma foto do momento, que acabou em um jornal que circulava na cidade. Enquanto isso, um homem de 30 e poucos anos atravessou a ponte do Brooklyn pensando em todo o trabalho humano necessário para construí-la, também dizendo a si mesmo que iria se dar bem no novo emprego que estava prestes a começar. Outra mulher, à espera de um encontro às cegas já atrasado no Washington Square Park, lembrou-se de um ex-namorado que a traiu, o que acabou gerando um devaneio sobre seus desejos de conexão e transcendência espiritual. Alguns participantes falaram sobre dificuldades econômicas que poderiam surgir à frente, enquanto outros se sentiam aflitos com um acontecimento impactante de uma década antes: o 11 de Setembro.

Os nova-iorquinos que generosamente compartilharam seus pensamentos com Andrew Irving personificam a natureza altamente diversificada e rica do nosso modo padrão. Seus diálogos internos os levaram "para dentro" de maneiras muito diferentes, conduzindo-os por uma miríade de fluxos de pensamento verbal. As especificidades de suas conversas privadas eram tão idiossincráticas quanto sua vida individual. Ainda assim, estruturalmente, o que acontecia na mente deles era muito semelhante. Era comum lidarem com "conteúdos" negativos,[5] grande parte dos quais surgidos por meio de conexões associativas, a transição de um pensamento para outro. Às vezes o pensamento verbal era construtivo; outras, não. Também passaram um tempo considerável pensando em *si mesmos*, com reflexões gravitando em torno das próprias experiências, emoções, desejos e necessidades. Afinal, a natureza autocentrada do modo padrão é uma de suas principais características.[6]

Os nova-iorquinos tinham essas coisas em comum, mas seus monólogos também enfatizavam algo universalmente humano: a voz interna estava sempre presente, com algo a dizer, lembrando-nos da inescapável necessidade que todos temos de usar nossa mente para dar sentido às nossas experiências e revelando o papel que a linguagem desempenha em nos ajudar a fazer isso.

Embora não haja dúvida de termos sentimentos e pensamentos que assumem formas não verbais[7] – artistas plásticos e músicos, por exemplo, buscam exatamente esse tipo de expressão mental –, os humanos existem em um mundo de palavras. As palavras são a forma como nos comunicamos com os outros na maior parte do tempo (embora a linguagem corporal e os gestos também sejam claramente instrumentais), e também como nos comunicamos conosco na maior parte do tempo.

A capacidade inata do nosso cérebro de se desligar do que está acontecendo ao redor produz uma conversa na nossa mente, na qual ficamos envolvidos durante uma parte significativa de nossas horas de vigília. Isso levanta uma questão crucial: *Por quê?* A evolução seleciona características que fornecem uma vantagem para a sobrevivência. De acordo com essa regra, não seria de esperar que os humanos tivessem se tornado falantes internos tão prolíficos se isso não aumentasse a nossa "aptidão" para a sobrevivência. Mas a influência da voz interna é muitas vezes tão sutil e fundamental que raramente ou quase nunca temos consciência de tudo que ela faz por nós.

O especialista em multitarefa

Os neurocientistas costumam invocar o conceito de reciclagem neuronal[8] ao discutir as operações do cérebro – a ideia de que usamos o mesmo circuito cerebral para atingir múltiplos fins, obtendo o máximo absoluto dos recursos neurais limitados à nossa disposição. Por exemplo, o hipocampo, a região em forma de cavalo-marinho soterrada nas profundezas do cérebro que cria memórias de longo prazo, também nos ajuda a navegar e nos mover pelo espaço. O cérebro é um multitarefa muito talentoso. Caso contrário, teria que ter o tamanho de um ônibus para ser grande o suficiente de modo a cumprir todas as suas inúmeras funções. Nossa voz interna, ao que parece, também é uma prodigiosa multitarefa.

Uma das tarefas essenciais do cérebro é alimentar o motor do que é conhecido como memória de trabalho. Os humanos têm uma tendência natural de conceitualizar a memória no sentido romântico, nostálgico e de longo prazo. Pensamos nela como a terra do passado, repleta de momentos, imagens e sensações que ficarão conosco para sempre e constituirão a narrativa da nossa vida. Mas há o fato de que a cada minuto do dia, em meio a uma onda contínua de estímulos que podem ser bastante perturbadores (sons, imagens, cheiros e assim por diante), temos que lembrar constantemente de detalhes que nos permitem ser funcionais. Não importa se esquecemos a maioria das informações quando elas deixam de ser úteis. Durante o breve período em que as informações estiverem ativas, nós precisamos que funcionem.

A memória de trabalho é o que nos permite participar de discussões profissionais e manter conversas improvisadas em jantares. Graças a ela, somos capazes de lembrar o que alguém falou alguns segundos antes e incorporar o que foi dito à discussão corrente de forma relevante. A memória de trabalho é o que nos permite ler um cardápio e pedir um prato (ao mesmo tempo que mantemos uma dessas conversas). É o que nos permite escrever um e-mail sobre algo urgente, mas não tão importante a ponto de ser arquivado em um armazenamento de longo prazo. Em suma, é o que nos permite funcionar como pessoas no mundo. Quando essa memória para de funcionar ou tem algum déficit de funcionamento, nossa capacidade de realizar até mesmo atividades diárias mais comuns (como recomendar aos filhos que lavem as mãos enquanto preparamos o lanche e pensamos nas reuniões agendadas para mais tarde naquele dia) se tornam impossíveis.

A voz interna está ligada à memória de trabalho.

Um componente crucial da memória de trabalho é um sistema neural especializado no gerenciamento de informações verbais. É chamado de laço ou ciclo fonológico,[9] porém é mais fácil entendê-lo como um centro de coordenação do cérebro para tudo relacionado a palavras que ocorre ao nosso redor no presente. Esse centro tem duas partes: um "ouvido interno", que nos permite reter por alguns segundos palavras que acabamos de ouvir; e uma "voz interna", que nos permite repetir palavras na nossa cabeça, como fazemos quando ensaiamos um discurso, memorizamos um número de telefone ou repetimos um mantra. Nossa memória de trabalho depende do ciclo fonológico para manter as conexões neurais linguísticas ativas, de modo que possamos funcionar produtivamente fora de nós mesmos ao mesmo tempo que mantemos nossas conversas internas. Nós desenvolvemos essa porta verbal entre nossa mente e o mundo na infância[10] e, uma vez instalada, ela nos impulsiona em direção a outros marcos do desenvolvimento mental. Na verdade, o ciclo fonológico vai muito além da esfera de reação a situações imediatas.

Nosso desenvolvimento verbal anda de mãos dadas com nosso desenvolvimento emocional. Quando crianças, falar sozinho em voz alta nos ajuda a aprender a *nos controlar*. No início do século XX, o psicólogo soviético Lev Vygotsky foi um dos primeiros a estudar a relação entre o desenvolvimento da linguagem e o autocontrole.[11] Ele estava interessado no curioso comportamento de crianças que falam sozinhas em voz alta, treinando a si mesmas ao mesmo tempo que exercem a autocrítica. Como qualquer um que tenha passado algum tempo significativo perto de crianças sabe, elas costumam ter conversas completas e espontâneas consigo mesmas. Isso não é apenas brincadeira ou imaginação; é um sinal de crescimento neural e emocional.

Ao contrário de outros pensadores importantes da época, que acreditavam que esse comportamento era um sinal de desenvolvimento não sofisticado, Vygotsky viu a linguagem desempenhando um papel crucial em como aprendemos a nos controlar – uma teoria que mais tarde seria confirmada por dados experimentais. Ele acreditava que a maneira como aprendemos a administrar as emoções começa com o relacionamento que temos com nossos principais cuidadores (geralmente os pais). Essas autoridades nos dão instruções e nós as repetimos em voz alta, muitas vezes imitando o que dizem. No início, fazemos isso de forma audível. Com o tempo, porém, passamos a internalizar a mensagem em uma fala interna silenciosa. E mais tarde, à medida que vamos nos desenvolvendo, passamos a usar nossas próprias palavras para nos controlar pelo resto da vida. Como todos sabemos, isso não significa que sempre acabamos fazendo o que nossos pais querem – nosso fluxo verbal acaba desenvolvendo contornos únicos que direcionam criativamente nosso comportamento, mas essas experiências iniciais de desenvolvimento nos influenciam de forma significativa.

A perspectiva de Vygotsky não se limita a explicar como aprendemos a usar nossa voz interna para nos controlar; também nos fornece uma maneira de entender como essas conversas internas são em parte "sintonizadas" por nossa formação. Décadas de pesquisas sobre socialização[12] indicam que nosso ambiente influencia a forma como vemos o mundo, inclusive como pensamos sobre o autocontrole. Nas famílias, nossos pais funcionam como um modelo de autocontrole quando somos crianças e suas abordagens se infiltram em nossas vozes internas em desenvolvimento. Nosso pai pode insistir em nos dizer para nunca usarmos de violência para resolver um conflito. Nossa mãe pode repetir frequentemente que nunca devemos desistir depois de uma decepção. Com o tempo, repetimos essas coisas para nós mesmos e elas começam a moldar nossos fluxos verbais.[13]

Claro que as vozes autoritárias dos nossos pais são moldadas por fatores culturais mais amplos.[14] Por exemplo, na maioria dos países asiáticos, destacar-se é algo desaprovado, pois ameaça a coesão social. Em comparação, países ocidentais como os Estados Unidos valorizam a independência, levando os pais a aplaudirem iniciativas individuais dos filhos. As religiões e os valores ensinados por elas[15] também interferem nas normas da nossa casa. Em suma, as vozes da cultura influenciam as vozes internas de nossos pais, que por sua vez influenciam a nossa, e assim por diante pelas muitas culturas e gerações que se combinam para sintonizar nossa mente. Somos como bonecas russas de conversas mentais.

Assim, a influência entre a cultura, os pais e os filhos não segue apenas numa direção. A forma como as crianças se comportam também pode impactar as vozes de seus pais, e nós, seres humanos, também desempenhamos um papel na formação e na reformulação de nossas principais culturas. Portanto, em certo sentido, nossa voz interna se aloja em nós enquanto crianças vindo de fora para dentro, até que mais tarde começamos a falar de dentro para fora e afetamos aqueles que nos rodeiam.

Uma pesquisa recente – que Vygotsky não viveu para ver – levou sua teoria mais longe, com estudos demonstrando que crianças criadas em famílias com padrões de comunicação mais sofisticados desenvolvem essa faceta da fala interna mais cedo.[16] Além disso, descobriu-se que ter amigos imaginários pode estimular o discurso interno das crianças.[17] Na verdade, as pesquisas sugerem que interações imaginárias fomentam o autocontrole, entre muitas outras características desejáveis, como o pensamento criativo, a autoconfiança e uma boa comunicação.[18]

Outra maneira crucial pela qual a voz interna ajuda no autocontrole é monitorando nossas ações enquanto tentamos alcançar nossos objetivos. Quase como um aplicativo de rastreamento em um celular, o modo padrão nos monitora para ver se estamos atingindo os padrões de referência no trabalho para conseguir aquele aumento no fim do ano, se estamos avançando em nosso sonho de abrir um restaurante, ou se nosso relacionamento com aquela pessoa por quem temos uma queda está se desenvolvendo bem. Normalmente isso acontece com um pensamento verbal pipocando na nossa mente, como o lembrete de um compromisso aparecendo no bloqueio de tela do computador ou celular. Na verdade, pensamentos espontâneos relacionados a objetivos[19] estão entre os tipos mais frequentes que ocupam nossa mente. É nossa voz interna nos alertando para prestar atenção naquele objetivo.

Atingir nossos objetivos envolve fazer a escolha certa diante de uma proverbial encruzilhada na estrada, e é por isso que nossa voz interna também nos permite fazer simulações mentais.[20] Por exemplo, quando estamos envolvidos em um brainstorming criativo sobre, digamos, a melhor maneira de fazer uma apresentação ou a melhor progressão melódica para uma música que estamos compondo, exploramos internamente diferentes caminhos possíveis. Muitas vezes, mesmo antes de escrever as palavras para uma apresentação ou tocar um instrumento musical, já exploramos nossas capacidades introspectivas para decidir sobre as melhores permutações. O mesmo vale para descobrir como lidar com um desafio interpessoal, como Tony fez enquanto andava por Nova York pensando nos amigos que não lhe contaram sobre a gravidez. Ele estava simulando se deveria permanecer próximo ou se distanciar. Esse brainstorming de realidades múltiplas acontece até mesmo enquanto estamos dormindo, em nossos sonhos.

Historicamente, os psicólogos pensavam que os sonhos ocupavam um recinto próprio na mente,[21] muito diferente do que acontece durante nossas horas de vigília. Freud, é claro, pensava nos sonhos como a verdadeira estrada para o inconsciente, uma caixa trancada contendo nossos impulsos reprimidos, e que a psicanálise era a chave que a abria. Com nossas defesas desarmadas e nosso decoro civilizado desligado enquanto dormíamos, ele acreditava que nossos demônios saíam e ficavam à solta, revelando nossos desejos. O advento da neurociência eliminou todo o romantismo sombrio e impróprio da psicanálise e o substituiu pela atitude fria e pragmática do funcionamento físico do cérebro. Essa nos disse que os sonhos nada mais são que a maneira como o cérebro interpreta disparos aleatórios do tronco cerebral durante o sono REM. Sai o simbolismo sexual, mais divertido, embora um pouco maluco, e entra a mecânica dos neurônios, mais cientificamente fundamentada (e nada lasciva).

As pesquisas atuais, com tecnologias mais avançadas, mostraram que na verdade nossos sonhos apresentam muitas semelhanças com os pensamentos verbais espontâneos que temos quando estamos acordados.[22] Acontece que nossa mente verbal acordada conversa com nossa mente adormecida. Felizmente, isso não produz nenhuma realização de desejos edipianos.

E pode nos ajudar.

Evidências recentes sugerem que os sonhos costumam ser funcionais e altamente sintonizados com nossas necessidades práticas.[23] Você pode compará-los a um simulador de voo ligeiramente maluco. Eles nos ajudam na preparação para o futuro ao simular eventos que ainda estão por vir, dirigindo nossa atenção para cenários potencialmente reais e até mesmo ameaças com que devemos ter cuidado. Apesar de ainda termos muito a aprender sobre como os sonhos nos afetam, no fim do dia – ou da noite, na verdade – eles são simplesmente *histórias* em nossa mente. E, com certeza, durante a vigília a voz interna fala mais alto sobre a história psicológica mais fundamental de todas: a nossa identidade.

Nosso fluxo verbal desempenha um papel indispensável na criação do que somos.[24] O cérebro constrói narrativas significativas por meio do raciocínio autobiográfico. Em outras palavras, usamos nossa mente para escrever a história de nossa vida, da qual somos o personagem principal. Essa prática nos ajuda a amadurecer, descobrir nossos valores e desejos e calibrar as mudanças e adversidades, mantendo-nos enraizados em uma identidade contínua. A linguagem é parte integrante desse processo, pois aplaina os fragmentos irregulares e aparentemente desconectados da vida cotidiana em uma linha contínua e coesa. Ajuda-nos a "historiar" a vida. As palavras da mente esculpem o passado e, assim, estabelecem uma narrativa para seguirmos no futuro. Ao transitar para a frente e para trás entre diferentes memórias, nossos monólogos internos tecem uma narrativa neural de lembranças. Eles costuram o passado na fundação da identidade construída pelo nosso cérebro.

As habilidades multitarefa do cérebro são variadas e vitais, assim como a voz interna. Mas, para compreender realmente seu valor mais profundo, devemos imaginar como seria se nossos pensamentos verbais desaparecessem. Por mais improvável que isso possa parecer, não precisamos apenas imaginar esse cenário. Em alguns casos, isso realmente acontece.

A caminho de La La Land

Em 10 de dezembro de 1996, Jill Bolte Taylor acordou exatamente como fazia todas as manhãs. A neuroanatomista de 37 anos trabalhava em um laboratório de psiquiatria na Universidade Harvard, onde estudava a composição do cérebro. Sua motivação para mapear nossas paisagens corticais e para entender suas interações celulares e os comportamentos que produziam foi fruto de sua história familiar. Seu irmão tinha esquizofrenia e, apesar de não nutrir esperanças de reverter sua doença, isso a impulsionou a tentar desvendar os mistérios da mente. E estava seguindo esse caminho – isto é, até o dia em que seu cérebro parou de funcionar direito.[25]

Jill Taylor levantou da cama para fazer seus exercícios matinais cardiovasculares, mas não se sentia ela mesma. Sentia uma dor latejante atrás dos olhos, como uma dor de cabeça em pontadas que ia e voltava, ia e voltava. Então, quando ela começou a se exercitar, as coisas ficaram estranhas. Enquanto estava no aparelho, sentiu seu corpo desacelerar e sua percepção se contrair. "Não conseguia mais definir os limites do meu corpo", lembrou mais tarde. "Não conseguia saber onde ele começava e onde terminava."

Além de perder a noção de seu corpo no espaço físico, Jill também começou a perder a noção de quem ela era. Sentiu suas emoções e memórias se dissiparem, como se a estivessem deixando para morar em outro lugar. A centelha contínua de percepções e reações que caracterizava sua consciência mental normal desapareceu. Sentiu seus pensamentos perderem a forma e, com eles, *suas palavras*. Seu fluxo verbal diminuiu como um rio secando. A maquinaria linguística de seu cérebro quebrou.

Um vaso sanguíneo tinha se rompido no lado esquerdo do cérebro. Jill estava tendo um derrame.

Apesar de estar com os movimentos físicos e as faculdades linguísticas drasticamente embotados, conseguiu ligar para um colega, que logo percebeu que havia algo errado. Pouco depois Jill Taylor se viu na maca de uma ambulância sendo levada para o Hospital Geral de

Massachusetts. "Senti meu espírito se render", explicou. "Parecia que eu não era mais a coreógrafa da minha vida." Certa de que ia morrer, despediu-se da vida.

Mas ela não morreu. No fim da tarde acordou num leito de hospital, surpresa por ainda estar viva, embora sua vida não fosse ser a mesma por muito tempo. Sua voz interna, como ela sempre conhecera, não estava mais lá. "Meus pensamentos verbais se tornaram incoerentes, fragmentados e interrompidos por um silêncio intermitente", lembrou mais tarde. "Naquele momento eu estava sozinha, com nada além da pulsação rítmica do meu coração." Nem sequer estava sozinha com seus pensamentos, porque *não tinha* pensamentos como antes.

Sua memória de trabalho não estava funcionando, tornando impossível completar as tarefas mais simples. Seu ciclo fonológico, ao que parecia, havia se desfeito. A conversa interna fora silenciada. Não era mais uma viajante do tempo mental capaz de revisitar o passado e imaginar o futuro. Sentiu-se vulnerável de uma forma que jamais imaginou ser possível, como se estivesse girando sozinha no espaço sideral. Perguntou-se se as palavras voltariam por completo à sua vida mental. Sem introspecção verbal, deixou de ser humana no sentido que conhecia. "Desprovida de linguagem e processamento linear", escreveu, "eu me senti desconectada da vida que tinha vivido."

E o pior de tudo: ela perdeu sua identidade. A narrativa que sua voz interna permitiu que ela elaborasse ao longo de quase quatro décadas se apagou. "Aquelas vozes dentro da cabeça", como explicou, a haviam transformado *nela*, mas agora estavam em silêncio. "Então, será que eu ainda era eu mesma? Como ainda poderia ser a dra. Jill Bolte Taylor, quando não compartilhava mais de suas experiências de vida, dos pensamentos e ligações emocionais?"

Quando imagino como seria passar pelo que Jill passou, eu entro em pânico. Perder a capacidade de falar comigo mesmo, de usar a linguagem para acessar minhas intuições, costurar minhas experiências em um todo coerente ou planejar o futuro parece muito pior que uma carta ameaçadora de um maluco. No entanto, é aqui que a história de Jill se torna mais estranha e ainda mais fascinante.

Jill Taylor não se sentiu apavorada do jeito que imagino que eu ou qualquer outra pessoa na situação dela nos sentiríamos. Surpreendentemente, quando a conversa interna de toda a sua vida desapareceu, ela sentiu um alívio que jamais sentira antes. "O vazio que invadia o meu cérebro traumatizado era tremendamente sedutor", escreveu mais tarde. "Acolhi com prazer o alívio da ausência do falatório constante."

Como ela mesma definiu, Jill tinha ido para "La La Land".

Por um lado, ser privada da linguagem e da memória foi assustador e solitário. Por outro, evocou uma sensação de êxtase, euforia e liberdade. Livre de sua identidade passada, ela também pôde se livrar de todas as suas lembranças dolorosas recorrentes, das tensões presentes e das ansiedades iminentes. Sem sua voz interna, ela se livrou do falatório. Para ela, essa troca parecia valer a pena. Mais tarde atribuiu isso a não ter aprendido a administrar o zumbido do seu mundo interno antes do derrame. Como todos nós, ela tinha problemas para controlar suas emoções quando era sugada por espirais negativas.

Duas semanas e meia após o derrame, Jill Taylor faria uma cirurgia para remover um coágulo de sangue do tamanho de uma bola de golfe no cérebro. Levaria oito anos para se recuperar totalmente. Ela continua a fazer pesquisas sobre o cérebro, ao mesmo tempo que compartilha sua história com o mundo. Enfatiza a sensação avassaladora de generosidade e bem-estar que sentiu quando seu crítico interno foi silenciado. Como se define, agora ela "acredita piamente que prestar atenção em nossa conversa interna é de vital importância para nossa saúde mental".

O que sua experiência nos mostra em termos singularmente vívidos é quão intensamente lutamos com nossa voz interna – a ponto de fazer com que nos sintamos bem quando o fluxo de pensamentos verbais que nos permite funcionar e pensar e sermos nós mesmos silencia. É uma evidência impressionante de como nossa voz interna pode ser influente. As pesquisas confirmam esse fenômeno em circunstâncias menos excepcionais. Nossos pensamentos não só podem macular a experiência. Eles podem apagar quase tudo mais.

Um estudo publicado em 2010 mostra esse ponto. Os cientistas descobriram que as experiências internas sempre superam as externas.[26]

O que os participantes pensavam mostrou-se um indicador melhor de sua felicidade do que o que estavam realmente fazendo. Isso revela uma experiência amarga que muitos já tiveram: você se encontra numa situação em que deveria estar feliz (em companhia de amigos, digamos, ou comemorando uma vitória) quando um pensamento recôndito engole sua mente. Seu humor é definido não pelo que você fez, mas pelo que pensou.

O fato de as pessoas sentirem alívio quando sua voz interna se acalma não significa que ela seja uma maldição de nossa evolução. Como vimos, temos uma voz na nossa cabeça que é um dom único, que nos acompanha das ruas de Nova York aos nossos sonhos, enquanto dormimos. Ela nos permite funcionar no mundo, atingir objetivos, criar, nos relacionar e definir quem somos de maneiras maravilhosas. Mas, quando se transforma em falatório, muitas vezes se torna tão aflitiva que pode nos fazer perder seus benefícios de vista e talvez até desejar não ter essa voz.

Antes de entrarmos no que a ciência nos ensina sobre como controlar nosso fluxo mental verbal, no entanto, precisamos entender os efeitos nocivos do falatório que exigem intervenção. Quando examinarmos de perto o que nossos pensamentos verbais destrutivos podem fazer conosco – com a nossa mente, o nosso corpo e os nossos relacionamentos –, vamos perceber que chorar um pouquinho nas ruas de Nova York não é nada de mais.

capítulo dois

Quando falar com nós mesmos
é um tiro que sai pela culatra

O primeiro arremesso perdido pareceu casual.[1]

Era 3 de outubro de 2000, o primeiro jogo entre o St. Louis Cardinals e o Atlanta Braves, na primeira rodada das eliminatórias da Liga Nacional Norte-Americana. O lançador Rick Ankiel, do Cardinals, viu a bola que acabara de arremessar quicar no chão, passar pelo batedor e acertar o alambrado. Quando o corredor passou da primeira à segunda base, a multidão fez um som de surpresa modesta, quase condescendente – afinal, Ankiel estava jogando em casa, no Busch Stadium de St. Louis –, e não havia razão para pensar que aquele arremesso perdido pressagiasse qualquer mudança na qualidade de seus lançamentos. No beisebol, até os melhores lançadores às vezes erram seus arremessos, independentemente do fato de Ankiel não ser um lançador qualquer.

Quando foi convocado, recém-saído do curso secundário, Ankiel era um garoto de 17 anos com um arremesso de 151 quilômetros por hora, e olheiros e comentaristas acreditavam que ele tinha potencial para ser um dos melhores arremessadores que o esporte veria em décadas. Sua estreia nas divisões superiores, dois anos depois, não decepcionou. Em sua primeira temporada completa, em 2000, eliminou por *strike* 194 rebatedores, acumulando 11 vitórias que ajudaram seu time a chegar às eliminatórias. Tudo indicava uma carreira espetacular. Por isso não foi nenhuma surpresa que ele tenha sido escalado como titular no primeiro jogo contra o Braves nas eliminatórias daquele outubro. Ele só precisava fazer o que fazia melhor na vida: arremessar uma bola de beisebol.

Ankiel tentou esquecer aquele erro. Era uma anomalia para ele, não havia nada com que se preocupar. Era apenas a terceira entrada e sua equipe já tinha uma grande vantagem de seis a zero. Além disso, o lançamento nem fora tão ruim assim; só tinha ricocheteado no chão do jeito errado e desviado do receptor. Sua entrada havia sido boa, então era só deixar aquele lance pra lá. No entanto, um pensamento incômodo e espinhoso se alojou em sua mente enquanto ele se preparava para um novo arremesso. *Cara, eu acabei de perder um arremesso ao vivo em rede nacional*, disse a si mesmo.[2] O que ele não sabia era que *tinha mesmo* algo com que se preocupar.

Momentos depois, depois de interpretar os sinais de seu apanhador, Ankiel girou sua canhota explosiva e... errou outro arremesso.

Dessa vez a multidão gritou um pouco mais alto e por mais tempo, como se sentisse que algo estava errado.[3] O corredor passou da segunda à terceira base. Enquanto um Ankiel de 21 anos e olhos escuros mascava chiclete e mantinha uma expressão neutra, por dentro não estava nada tranquilo. Quando seu apanhador recuperou mais uma vez a bola e os segundos se passaram sob o sol da tarde, Ankiel sentiu sua mente escapar de seu controle e cair nas mãos do que viria a chamar de "o monstro" – seu cruel crítico interno, um fluxo de palavras verbais e pensamentos tão perversos a ponto de desfazer anos de trabalho árduo, gritando mais alto que os 52 mil fãs nas arquibancadas.

Ansiedade. Pânico. Medo.

Sua imensa vulnerabilidade – de um jogador jovem com uma carreira em jogo – tornou-se algo que ele não conseguia mais ignorar.

Ankiel podia parecer a personificação brilhante do sonho norte americano – um garoto de uma pequena cidade da Flórida aproveitando seu dom excepcional –, mas sua infância desmentia essa narrativa tão pitoresca. Filho de um pai verbal e fisicamente abusivo, um criminoso mesquinho e dependente químico, Ankiel sabia bem o que era uma dor emocional já naquela idade. Era essa a razão de o beisebol ser mais do que só uma carreira para ele. Era um lugar sagrado e seguro onde ele se sentia bem, onde as coisas eram fáceis, onde havia alegria. Muito diferente de sua vida familiar. Só que agora algo estranho e aparentemente incontrolável estava começando a acontecer, subjugando seus sentidos e inundando-o de terror.

Ainda assim, ele estava determinado a se recuperar. Concentrou-se no próprio peso, na postura, no braço. Só precisava fazer com que seu mecanismo se encaixasse no lugar. Mas desmoronou mais uma vez.

E errou outro arremesso.

E outro.

E outro.

Antes que o Cardinals perdesse mais corridas, Ankiel foi retirado do jogo. Desapareceu no banco de reservas acompanhado pelo "monstro" dentro dele.

Seu desempenho naquele dia foi inesperado e constrangedor. Fazia mais de cem anos que um lançador não perdia cinco arremessos numa única entrada. Mas, em retrospecto, não teria se tornado um dos desempenhos mais dolorosos de se assistir na história do beisebol não fosse pelo que logo se seguiu.

Quando Ankiel foi chamado para jogar contra o Mets, nove dias depois, aconteceu a mesma coisa. O monstro reapareceu e ele fez outros arremessos errados. Mais uma vez foi retirado do jogo, dessa vez antes do final do primeiro turno. Mas a humilhação não parou por aí, embora sua breve carreira como lançador na liga principal tenha efetivamente terminado.

No início da temporada seguinte, Ankiel participou de mais alguns jogos, para os quais teve que beber para acalmar os nervos antes de entrar em campo, mas nem mesmo o álcool conseguiu acalmar sua mente. Seu arremesso não melhorou. Foi rebaixado para uma divisão inferior, em que passou três desanimadores anos antes de decidir se aposentar do beisebol, em 2005, com a trágica e prematura idade de 25 anos.

"Não consigo mais fazer isso", disse ao técnico.

Rick Ankiel nunca mais jogaria profissionalmente como lançador.[4]

Desvinculação e o mágico número quatro

Rick Ankiel não foi o primeiro atleta de elite a perder seu superpoder e de repente ver o que fazia de melhor deixar de ser um talento. Frequentemente pessoas que passaram anos dominando um talento o veem atolar como um carro velho e decrépito quando o falatório sequestra sua voz interna. Esse fenômeno não se restringe a atletas. Pode acontecer com qualquer um que tenha se tornado hábil em uma tarefa aprendida – de professores que memorizam suas aulas e fundadores de startups com lenga-lengas ensaiadas a cirurgiões que realizam operações complexas que levaram anos para dominar. A explicação de por que essas habilidades falham, em última análise, está relacionada à maneira como as conversas que temos com nós mesmos influenciam a nossa *atenção*.[5]

A todo momento somos bombardeados por informações – incontáveis imagens e sons, além dos pensamentos e sentimentos que esses estímulos despertam. A atenção é o que nos permite filtrar as coisas que não importam para podermos nos concentrar nas coisas que importam.[6] E apesar de grande parte da nossa atenção ser involuntária, como quando nos voltamos automaticamente para um barulho mais alto, uma das características que tornam os humanos tão únicos é nossa capacidade de nos concentrarmos conscientemente nas tarefas que exigem nossa atenção.

Quando nos vemos sobrecarregados pela emoção, como Ankiel naquele dia de outono de 2000, uma das coisas que nossa voz interna faz é controlar nossa atenção, focando-a nos obstáculos que encontramos e excluindo praticamente tudo mais. Isso nos é vantajoso na maioria das vezes, mas *não* quando se trata de usar nossa atenção para exercer uma habilidade automática e aprendida, como o arremesso era para Ankiel. Para entender por que isso acontece, é útil observar o que dá certo quando comportamentos automatizados de atletas os elevam às alturas mais impressionantes de desempenho.

Em 11 de agosto de 2019, a ginasta americana Simone Biles fez história nos esportes ao se tornar a primeira mulher a dar um salto triplo-duplo em uma competição oficial durante sua exibição de solo no Campeonato de Ginástica dos Estados Unidos. Como escreveu um comentarista: "É um movimento que requer uma força extrema, quase super-humana, coordenação e treinamento."[7] Seria impossível executá-lo pensando deliberadamente em cada movimento, pois tudo acontece no ar, onde as leis da física atuam em um instante – gravidade versus corpo.

O movimento aparentemente impossível que Simone executou exigiu um giro de corpo em torno de dois eixos ao mesmo tempo e duas piruetas para trás enquanto girava três vezes, daí o nome triplo-duplo. Podemos pensar em sua execução perfeita do movimento como a culminação de todos os movimentos automatizados que seu cérebro havia dominado durante anos: correr, pular, dar piruetas, saltos para trás, girar e pousar. Para realizar o seu triplo-duplo, reuniu naquela façanha um conjunto de movimentos que levou anos para aprender, mas que em algum momento deixou de precisar do controle consciente de seu cérebro. A voz interna de Simone não direcionou cada uma de suas ações, embora provavelmente tenha se alegrado quando a multidão foi à loucura.

Como todos os atletas, Simone desenvolveu seu triplo-duplo a partir de uma série de comportamentos individuais que ela vinculou através da prática. Em algum momento os elementos separados da cadeia de movimentos se fundiram em uma ação contínua. Sua mecânica corporal automática, estimulada pela capacidade do cérebro de vinculá-los (combinada com o fabuloso DNA), deu a Simone um lugar na história do esporte.

Até seu colapso, Ankiel parecia estar em uma trajetória semelhante, com movimentos perfeitos e um braço sobrenaturalmente forte. Então o que aconteceu naquele dia do jogo?

Ele se *des*vinculou.[8]

O fluxo verbal de Ankiel se transformou num holofote que jogou muita luz em sua atenção nos componentes físicos individuais de seu movimento de arremesso, parecendo assim desmontá-lo inadvertidamente. Depois de errar os primeiros arremessos, ele mentalmente deu um passo para trás e se concentrou na mecânica de seu lançamento: os movimentos coreografados que envolviam seus quadris, pernas e braço. A princípio parece algo sensato e intuitivo. Ele estava tentando usar o cérebro para consertar um comportamento programado que já havia executado previamente com sucesso dezenas de milhares de vezes. Que foi exatamente onde as coisas deram errado.

Quando você está calculando seus impostos, vale a pena verificar as contas para ter certeza de que fez tudo certo, mesmo se for um contador experiente. Mas para comportamentos automáticos e já bem conhecidos que você está tentando executar sob pressão, como um arremesso, essa mesma tendência nos leva a quebrar os roteiros complicados que aprendemos a executar sem pensar. É exatamente isso que a tendência da nossa voz interna de nos imergir em um problema faz. Concentrar demais nossa atenção nas partes de um comportamento que só funciona como a *soma* de suas partes. O resultado: paralisia por análise.[9]

O falatório arruinou a carreira de Ankiel como lançador, mas os comportamentos automáticos não são o único tipo de habilidade que pode sair pela culatra quando nossa voz interna nos trai. Afinal, como já disse, uma das coisas que nos distingue de todas as outras espécies animais é nossa capacidade não apenas de executar comportamentos automáticos, mas de usar nossa mente para focar conscientemente nossa atenção.

É nossa capacidade de raciocinar logicamente, de resolver problemas, realizar várias tarefas ao mesmo tempo e controlar a nós mesmos que nos permite administrar o trabalho, a família e tantos outros aspectos cruciais da nossa vida com sabedoria, criatividade e inteligência. Para fazer isso, temos que ser determinados, atenciosos e flexíveis, o que somos capazes de fazer graças ao que podemos chamar de CEO do cérebro humano – nossas *funções executivas,* que também são vulneráveis às incursões de uma voz interna não solidária.

Nossas funções executivas são a base da nossa capacidade de coordenar nossos pensamentos e comportamentos da maneira que desejamos.[10] Apoiadas em grande parte por uma rede de regiões pré-frontais do cérebro localizadas atrás de nossa testa e das têmporas, seu trabalho é intervir quando nossos processos instintivos não são suficientes e precisamos orientar conscientemente nosso comportamento. Elas nos permitem manter as informações relevantes ativas em nossa mente (a memória de trabalho faz parte das funções executivas), filtrar informações irrelevantes, bloquear distrações, jogar com ideias, dirigir nossa atenção para onde ela precisa ir e exercer o autocontrole – como nos ajudar a resistir à tentação de abrir uma nova aba do navegador e entrar no buraco negro da internet. Em suma, sem nossas funções executivas nós não seríamos capazes de funcionar no mundo.

O motivo pelo qual o cérebro precisa desse tipo de liderança neurológica é que prestar atenção, raciocinar com sensatez, pensar com criatividade e executar tarefas geralmente exigem que você saia do modo automático e exerça um esforço consciente. E fazer isso requer muito de suas funções executivas, pois elas têm uma capacidade limitada.[11] Assim como um computador que fica mais lento quando está com muitos programas abertos, o desempenho de suas funções executivas diminui à medida que aumentam as demandas requeridas.

A ilustração clássica dessa capacidade limitada, conhecida como o número mágico quatro,[12] tem a ver com nossa capacidade de reter entre três e cinco unidades de informação na mente a qualquer momento. Considere um número de telefone dos Estados Unidos. Memorizar o número 200-350-2765 é muito mais fácil que memorizar 2003502765. No primeiro caso, você agrupou os números, então está memorizando três informações; no último você está tentando memorizar uma sequência ininterrupta de dez unidades de informação, o que exige mais do sistema.

Suas funções executivas de trabalho intenso precisam de todos os neurônios que puderem usar, mas uma voz interna negativa monopoliza nossa capacidade neural.[13] A ruminação verbal concentra nossa atenção estritamente na fonte de nossa aflição emocional, roubando neurônios que poderiam nos ser úteis. Na verdade, nós congestionamos nossas funções executivas realizando uma "tarefa dupla" – a tarefa de fazer tudo que queremos *e* a tarefa de ouvir nossa dolorosa voz interna. Neurologicamente, é assim que o falatório divide e confunde nossa atenção.

Todos nós estamos familiarizados com as distrações de um fluxo verbal negativo. Você já tentou ler um livro ou concluir uma tarefa que exige concentração depois de uma briga feia com alguém que ama? É quase impossível. Todos os pensamentos negativos resultantes consomem suas funções executivas, pois seu crítico interno e seus resmungos tomaram o controle da sede corporativa, roubando seus recursos neuronais. O problema para a maioria de nós, no entanto, é que geralmente estamos engajados em atividades muito mais complexas do que reter informações de um livro. Estamos fazendo nosso trabalho, perseguindo nossos sonhos, interagindo com outras pessoas e sendo avaliados.

Quando toma a forma de pensamentos ansiosos repetitivos, o falatório torna-se um exímio sabotador quando se trata de tarefas específicas. Inúmeros estudos revelam seus efeitos debilitantes. Ele leva alunos a ter um desempenho pior em provas,[14] provoca medo de palco e uma tendência ao catastrofismo em artistas[15] e dificulta acordos nos negócios. Um estudo descobriu, por exemplo, que a ansiedade leva as pessoas a fazer ofertas iniciais mais baixas,[16] a abandonar as discussões mais cedo e ganhar menos dinheiro. Essa é uma maneira muito boa de dizer que elas fracassaram em seus empregos – por causa do falatório.

A qualquer momento a quilha da nossa voz interna pode oscilar devido a um número infinito de coisas. Quando isso acontece, temos dificuldade em concentrar nossa mente para lidar com os inevitáveis desafios diários que enfrentamos, o que muitas vezes produz ainda mais turbulência em nossos diálogos internos. É muito natural procurarmos uma saída para nossa situação difícil quando estamos nos debatendo dessa forma. Então, o que fazemos exatamente?

Essa foi a pergunta que deixou intrigado um gentil psicólogo de meia-idade há cerca de trinta anos. Sua pesquisa levantaria questões complexas sobre os danos do falatório, que vão muito além de nossa capacidade de concentrar nossa atenção. Nossa voz interna também afeta nossa vida social.

Um repelente social

No fim dos anos 1980, um psicólogo belga de óculos chamado Bernard Rimé[17] decidiu estudar se as intensas emoções negativas que caracterizam o falatório levam as pessoas a se envolver em um processo muito social: a fala.

Ao longo de vários estudos, Rimé trouxe pessoas para seu laboratório e perguntou se elas conversavam sobre experiências negativas de seu passado com outras pessoas. Em seguida, voltou seu foco para o presente e pediu às pessoas que registrassem em diários ao longo de várias semanas toda vez que enfrentassem uma situação desagradável e se a discutiam com pessoas de seu convívio. Também fez experimentos em que provocava participantes no laboratório e então observava se eles compartilhavam suas reações com as pessoas próximas.

Em todos os testes, Rimé chegou à mesma descoberta: as pessoas se sentem compelidas a falar sobre suas experiências negativas com outros. Mas não só isso. Quanto mais intensa era a emoção, mais elas queriam falar sobre a questão. Além disso, falavam sobre o que havia acontecido com mais frequência, fazendo isso repetidamente ao longo de horas, dias, semanas e meses, às vezes até pelo resto da vida.

A descoberta de Rimé se provou verdadeira, independentemente de idade ou nível educacional das pessoas. Era uma característica tanto de homens quanto de mulheres. Chegava até mesmo a outras geografias e culturas. Da Ásia às Américas e à Europa,[18] Rimé identificou sempre a mesma coisa: emoções fortes agiam como um propulsor a jato, ejetando as pessoas a falar sobre suas experiências. Parecia ser uma lei da natureza humana. As únicas exceções a essa regra eram os casos em que as pessoas sentiam vergonha, em que havia algo que preferiam esconder, ou certas formas de trauma que não queriam remoer.

Essa consistência da descoberta foi surpreendente, embora possa parecer uma confirmação do óbvio. Como todos sabemos, as pessoas falam muito sobre emoções intensas. Ninguém liga para os amigos para dizer: "Oi, hoje estou me sentindo normal." São os altos e baixos que saltam do fluxo verbal em nossa mente e escoam em forma de palavras pela nossa boca.

Apesar de isso parecer normal e inofensivo, comunicar *repetidamente* nossa voz interna negativa para outras pessoas produz uma das grandes ironias do falatório e da vida social: expressamos nossos pensamentos para ouvintes solidários que conhecemos em busca de apoio, mas fazer isso em excesso acaba afastando as pessoas de quem mais precisamos.[19] É como se a aflição do falatório tornasse as pessoas menos sensíveis às dicas sociais normais que nos dizem quando parar. Para ser claro, isso não significa que falar com os outros sobre seus problemas seja prejudicial em si. Mas destaca como a conversa pode transformar uma experiência útil em algo negativo.

Muitos de nós temos um limite para a quantidade de desabafos que conseguimos ouvir, até mesmo de pessoas que amamos, bem como para a frequência com que conseguimos tolerar esse desabafo sem nos sentirmos ouvidos. Os relacionamentos prosperam na reciprocidade. É uma das razões pelas quais os terapeutas nos cobram pelo seu tempo e os amigos não. Quando essa balança conversacional fica desequilibrada, a conexão social se desgasta.

Para piorar as coisas, quando isso acontece, as pessoas que exacerbam e inadvertidamente alienam os que estão ao seu redor são menos capazes de resolver problemas.[20] Isso torna mais difícil para elas reajustar a ruptura em seus relacionamentos, gerando um círculo vicioso que pode levar a um resultado tóxico: solidão e isolamento.[21]

Para observar um exemplo intensificado de como esse processo de isolamento social progressivo funciona, podemos olhar para o tumulto emocional generalizado conhecido como ensino fundamental II e ensino médio. Um estudo que monitorou mais de mil alunos desses grupos por sete meses constatou que adolescentes mais propensos a lamentações afirmaram falar mais com seus colegas do que os que reclamavam menos. No entanto, isso fazia mais mal do que bem. Determinava uma série de resultados dolorosos: ser socialmente excluídos e rejeitados, servir de alvo de fofocas e boatos dos colegas e até sofrer ameaças de violência.[22]

Infelizmente, nesse caso, o que é verdade para pré-adolescentes e adolescentes também se aplica à idade adulta. Ademais, não faz muita diferença ter um motivo legítimo para desabafar; ainda assim, ventilar excessivamente seu falatório interno pode afastar as pessoas. Um estudo que se concentrou em adultos enlutados descobriu que pessoas com tendência a lamentar buscavam mais apoio social após a perda, o que é normal. A reviravolta desconfortável, porém, é que como resultado elas vivenciaram mais atrito social e tiveram menos apoio emocional em seus relacionamentos.[23]

O compartilhamento emocional excessivo não é o único tipo de repelente social provocado pelo falatório. Pessoas que perseveram em conflitos também têm maior probabilidade de se comportar de forma agressiva.[24] Um experimento mostrou que aconselhar as pessoas a ruminarem sobre como se sentiram após serem insultadas por um pesquisador que criticou de forma não diplomática um ensaio que escreveram fez com que elas fossem mais hostis com a pessoa que as insultou. Quando tiveram a oportunidade de reagir de forma mais agressiva ao pesquisador, elas o fizeram mais do que pessoas que não ficaram pensando tanto sobre aquilo. Em outras palavras, quanto mais penso sobre o que alguém fez de negativo comigo, mais mantenho esses sentimentos vivos, e será mais provável que eu reaja de forma agressiva. O falatório também nos leva a dirigir nossa agressividade contra pessoas que não a merecem.[25] Se o nosso chefe nos incomoda, por exemplo, nós descontamos nos nossos filhos.

Mas nenhuma dessas pesquisas considera nossa vida *digital*. Na era do compartilhamento on-line, o trabalho de Rimé sobre as emoções e nossa vida social adquiriu uma nova dimensão. O Facebook e outros aplicativos de mídias sociais semelhantes nos forneceram uma plataforma que altera o mundo em que compartilhamos nossa voz interna e ouvimos as vozes internas dos outros (ou pelo menos o que os outros querem que pensemos que estão pensando). Na verdade, a primeira coisa que as pessoas veem quando fazem login no Facebook é o pedido para que transmitam sua resposta a esta pergunta: *"O que você está pensando?"*

E é o que fazemos.

Em 2020, quase 2,5 bilhões de pessoas usavam o Facebook e o Twitter[26] – quase um terço da população mundial – e normalmente o fazem para compartilhar suas ruminações pessoais.[27] Vale ressaltar que não há nada de intrinsecamente ruim em compartilhar pensamentos nas redes sociais. Na longa linha histórica do tempo da nossa espécie, é simplesmente um novo ambiente no qual passamos muito tempo, e os ambientes não são bons ou ruins por si sós. Se nos ajudam ou nos prejudicam, depende de como interagimos com eles.[28] Dito isso, há duas preocupantes características das mídias sociais quando você considera a intensidade da motivação que temos de transmitir nosso fluxo de pensamentos: empatia e tempo.

A empatia é de extrema importância, tanto individual quanto coletivamente.[29] É ela que nos permite estabelecer conexões significativas com outras pessoas, é uma das razões pelas quais desabafamos tantas vezes[30] (buscamos a empatia dos outros) e também um dos mecanismos que mantêm as comunidades unidas. É uma capacidade que desenvolvemos porque ajuda nossa espécie a sobreviver.

Pesquisas mostram que observar as respostas emocionais de outras pessoas – ver alguém se retrair ou ouvir um tremor em sua voz – pode ser uma forma potente de desencadear empatia. Porém, on-line, os gestos físicos sutis, microexpressões e entonações vocais que provocam respostas empáticas na vida diária estão ausentes.[31] Em consequência, nosso cérebro é privado de informações que cumprem uma função social essencial: inibir a crueldade e o comportamento antissocial. Em outras palavras, menos empatia frequentemente leva a perversidade e *cyberbullying*, que têm consequências graves.[32] O *cyberbullying*, por exemplo, tem sido associado a episódios mais longos de depressão, ansiedade e abuso de substâncias, bem como vários efeitos físicos tóxicos como dores de cabeça, distúrbios do sono, doenças gastrointestinais e mudanças no funcionamento dos sistemas de resposta ao estresse.

A passagem do tempo também é essencial para nos ajudar a administrar nossa vida emocional, especialmente quando se trata de processar experiências desagradáveis.[33] Quando identificamos alguém para conversar off-line, muitas vezes precisamos esperar até ver a pessoa ou até ela estar disponível para nos ouvir. Enquanto esperamos por essa pessoa, algo mágico acontece: o tempo passa, o que nos permite refletir sobre o que estamos sentindo e pensando de maneiras que muitas vezes moderam nossas emoções. Na verdade, a pesquisa apoia a ideia comum de que "o tempo cura" ou o conselho de "dar tempo ao tempo".

Agora vamos nos transplantar para o mundo paralelo da vida digital e da nossa capacidade de acessá-lo a qualquer momento graças aos nossos dispositivos inteligentes. As mídias sociais permitem que nos conectemos com outras pessoas imediatamente após uma resposta emocional negativa, antes que o tempo nos dê a oportunidade de repensar como nos sentimos ou o que planejamos fazer. Graças à conectividade do século XXI, quando estamos no auge de nossos surtos internos, justo quando nossa voz interna quer fazer um escândalo, ela pode fazer.

Então nós postamos. Tuitamos. Comentamos.

Com o passar do tempo e a remoção dos indutores físicos de empatia, as mídias sociais se tornam um espaço suscetível aos aspectos inconvenientes da voz interna. Isso pode levar a um aumento de conflitos, hostilidade e falatório, tanto para os indivíduos quanto para a sociedade como um todo. Também significa que mais do que nunca perdemos a linha do que compartilhamos.

Assim como falar por muito tempo e com muita frequência com os outros sobre nossos próprios problemas, postagens excessivamente emocionais irritam e afastam as pessoas.[34] Elas violam normas tácitas, e os usuários começam a desejar que pessoas que se expõem demais on-line busquem apoio nos amigos off-line. Não é nenhuma surpresa que pessoas com depressão – que é alimentada pelo fluxo verbal – compartilhem mais informações pessoais negativas em suas mídias sociais[35] e ainda assim percebam que estas são de menos ajuda ou apoio para elas do que para pessoas não deprimidas.

As mídias sociais nos fornecem uma plataforma para compartilhar (demais) os pensamentos e sentimentos fervilhando em nossa cabeça, e as formas como elas prejudicam nossos diálogos internos nem sempre estão relacionadas a empatia e tempo. Além disso, as mídias sociais também nos permitem moldar o que queremos que os outros acreditem que está acontecendo em nossa vida, e nossas escolhas sobre o que postamos podem alimentar o falatório de outros.

A necessidade humana de autoapresentação é poderosa.[36] Elaboramos nossas aparências para influenciar o modo como as pessoas nos percebem o tempo todo. Sempre foi assim, mas o surgimento das mídias sociais aumentou exponencialmente o controle sobre como fazemos isso. Elas nos permitem fazer uma hábil curadoria da apresentação de nossa vida[37] – uma versão photoshopada, com os pontos baixos e momentos menos esteticamente agradáveis deixados de fora. Participar desse exercício de autoapresentação pode nos fazer sentir melhor[38], satisfazendo nossa necessidade de fornecer uma imagem positiva aos olhos dos outros e elevando nossa voz interna.

Mas há um problema. Embora postar fotos glamourosas de nossa vida possa fazer com que nos sintamos melhor, esse mesmo ato pode fazer com que os usuários que veem nossas postagens se sintam pior. Isso porque, ao mesmo tempo que nos sentimos motivados a fornecer uma imagem positiva, também somos levados a nos comparar com os outros.[39] E as mídias sociais exacerbam os mecanismos de comparação do nosso cérebro. Um estudo que meus colegas e eu publicamos em 2015[40] demonstrou, por exemplo, que quanto mais tempo as pessoas navegam passivamente pelo Facebook, observando a vida os outros, mais os invejam[41] e se sentem pior em decorrência.

Se transmitir nossos sentimentos nas redes sociais e participar de sua cultura de autopromoção têm tantos efeitos que induzem o falatório, é razoável perguntar por que continuamos a exercer essa prática. Uma resposta a essa pergunta tem a ver com a gratificação que muitas vezes resulta de se envolver em comportamentos que parecem bons no momento, mas que apresentam consequências negativas ao longo do tempo.[42] Pesquisas mostram que o mesmo circuito cerebral que se torna ativo quando somos atraídos por alguém ou consumimos substâncias desejáveis (qualquer coisa, de cocaína a chocolate) também é ativado quando compartilhamos informações sobre nós mesmos com outras pessoas. Isso foi ilustrado de forma particularmente convincente um estudo realizado por neurocientistas de Harvard publicado em 2012[43] que mostrou que as pessoas preferem compartilhar informações sobre si mesmas com outras a receber dinheiro. Em outras palavras, a euforia social é como uma euforia neuronal, uma ótima onda para nossos receptores de dopamina.

Tudo isso é para dizer que, tanto on-line quanto off-line, quando permitimos que nosso falatório motive comportamentos sociais, normalmente colidimos com uma série de resultados negativos. O mais prejudicial para conversas internas e externas é que muitas vezes acabamos encontrando menos apoio. Isso inicia um círculo vicioso de isolamento social, que nos fere ainda mais. Na verdade, se você parar e ouvir, vai perceber que muitas pessoas realmente usam a linguagem da "dor" física para descrever como se sentem ao serem rejeitadas pelos outros.

Em idiomas de todo o mundo, do inuíte ao alemão, do hebraico ao húngaro, do cantonês ao butanês,[44] as pessoas usam palavras relacionadas a ferimentos físicos para descrever a dor emocional – "abatida", "ferida", "machucada", entre muitas outras. A razão pela qual fazem isso não é somente por terem um talento especial para expressões metafóricas. Uma das descobertas mais assustadoras que tive em minha carreira é que o falatório não prejudica as pessoas somente no sentido emocional; ele tem implicações físicas para o nosso corpo também, desde a forma como experimentamos dores físicas até a forma como nossos genes operam em nossas células.

O piano dentro de nossas células

Um por um, eles chegaram ao nosso laboratório no subsolo: os corações partidos da cidade de Nova York.[45]

Era 2007. Meus colegas e eu começamos um estudo para entender melhor o que era realmente a dor emocional no cérebro. Em vez de selecionar voluntários aleatórios para participar – e encontrar algum método ético para fazê-los se sentirem mal no laboratório –, nós identificamos quarenta voluntários que já estavam sofrendo: pessoas que haviam passado por uma desilusão amorosa recente, um dos mais potentes indutores de tormento emocional que conhecemos. Pusemos anúncios no metrô e em parques procurando pessoas que tivessem acabado de ser rejeitadas em relações monogâmicas que tivessem durado pelo menos seis meses:

VOCÊ PASSOU POR UM TÉRMINO DE RELACIONAMENTO
DIFÍCIL E INDESEJADO RECENTEMENTE?

AINDA TEM SENTIMENTOS POR UM EX-PARCEIRO
OU EX-PARCEIRA?

PARTICIPE DE UM EXPERIMENTO SOBRE COMO O CÉREBRO
PROCESSA AS DORES FÍSICAS E EMOCIONAIS!

Em uma cidade de 8 milhões de habitantes,[46] foi fácil encontrar voluntários.

Mas também fizemos uma coisa ligeiramente provocativa. Pedimos que trouxessem uma foto da pessoa que os tinha deixado. As fotos tinham uma utilidade. Ao pedir aos voluntários que se deitassem num aparelho de ressonância magnética, olhassem para a fotografia de seu amor rejeitado e rememorassem como se sentiram no exato momento do rompimento, esperávamos obter uma fotografia neural do diálogo interno de cada um. Mas também queríamos saber outra coisa: se a maneira como o cérebro processa uma experiência de dor emocional era semelhante à de processar uma dor *física*. Para chegar a esse último aspecto, também aplicamos um calor similar a uma xícara de café quente em seus braços.

Depois comparamos os resultados da ressonância magnética do momento em que eles olharam para a foto do amor perdido com os da simulação do café quente. Surpreendentemente, houve um alto grau de sobreposição nas regiões do cérebro que desempenham um papel na nossa experiência sensorial da dor física. Em outras palavras, nossos resultados sugeriram que a dor emocional também continha um componente físico.

Essas e outras descobertas de outros laboratórios que surgiram mais ou menos na mesma época começaram a demonstrar como conceitos reconhecidamente nebulosos, como a dor social, influenciam o que acontece no nosso corpo, especialmente em se tratando de estresse.[47]

Dizer que o estresse mata é um clichê do século XXI. Ele é uma epidemia moderna que contribui para perdas de produtividade que chegam a 500 bilhões de dólares anuais só nos Estados Unidos.[48] Ainda assim, normalmente perdemos de vista o fato de que o estresse é uma resposta adaptativa. Ele ajuda nosso corpo a responder de forma rápida e eficiente a situações potencialmente ameaçadoras. Mas o estresse deixa de ser adaptativo quando se torna *crônico* – quando o alarme sobre lutar ou fugir *não para* de emitir sinais. E, com certeza, um dos principais culpados por manter o estresse ativo é nosso fluxo verbal negativo.[49]

Ameaça inclui perigo físico, é claro, mas também abrange uma gama de experiências mais comuns. Por exemplo, quando nos deparamos com situações com as quais não temos certeza se conseguimos lidar: perder um emprego ou começar em um novo, viver um conflito com um amigo ou familiar, mudar para outra cidade, enfrentar um problema de saúde, sofrer pela morte de um ente querido, divorciar-se, morar em um bairro perigoso. Tudo isso engloba circunstâncias adversas capazes de desencadear uma resposta à ameaça semelhante àquela que sentimos quando estamos em perigo físico imediato. Quando o alarme de uma ameaça é ativado no nosso cérebro, nosso corpo logo se mobiliza para nos proteger, assim como um país mobiliza seu exército para um ataque coordenado contra um invasor inimigo.

A fase um começa instantaneamente, em uma região do cérebro em forma de cone chamada hipotálamo. Quando recebe sinais de outras regiões do cérebro indicando a existência de uma ameaça, o hipotálamo dispara uma cadeia de reações químicas que liberam adrenalina na corrente sanguínea. A adrenalina faz seu coração bater mais rápido, aumenta a pressão arterial e os níveis de energia e aguça os seus sentidos. Momentos depois, o cortisol, o hormônio do estresse, é liberado para manter os níveis de energia e os motores a jato funcionando. Enquanto tudo isso acontece, os mensageiros químicos também estão trabalhando para coibir os sistemas do seu corpo que não são vitais para a capacidade de responder a uma ameaça imediata, como o digestório e o reprodutivo. Se você já percebeu que seu apetite e sua libido desaparecem em meio a uma crise, esses mensageiros químicos são a razão. Todas essas mudanças têm um objetivo único: melhorar sua capacidade de reagir rapidamente aos estressores que você enfrenta, independentemente de estar enfrentando esses estressores no momento (como ver um ladrão entrar na sua casa) ou simplesmente de conjurá-los na sua mente.

Sim, podemos criar uma reação de estresse fisiológico crônico só com o pensamento. E, quando nossa voz interna alimenta esse estresse, isso pode ser devastador para nossa saúde.

Inúmeros estudos relacionaram a ativação de longo prazo de nossos sistemas de resposta ao estresse com doenças, que abrangem uma gama de problemas cardiovasculares, distúrbios do sono e várias formas de câncer.[50] Isso explica como experiências estressantes, como sentir-se cronicamente isolado e sozinho, podem ter efeitos drásticos em nossa saúde. Na verdade, não ter uma rede de apoio social forte é um fator de risco de morte tão grande quanto fumar mais de quinze cigarros por dia, consumir quantidades excessivas de álcool, não praticar exercícios, ser obeso ou viver em uma cidade altamente poluída.[51]

Pensamentos negativos crônicos também podem entrar no território da doença mental, embora isso não signifique que o falatório seja a mesma coisa que depressão clínica, ansiedade ou transtorno de estresse pós-traumático. Pensamentos negativos repetitivos não são sinônimo dessas condições, mas são uma característica comum nelas. Na verdade, os cientistas os consideram um *fator transdiagnóstico de risco*[52] de muitos transtornos, o que significa que o falatório encontra-se na base de uma variedade de doenças mentais.

Mas aqui chegamos a um dos aspectos mais assustadores sobre as maneiras como o falatório alimenta o estresse. Quando nossa resposta ao pânico é prolongada, a erosão fisiológica gradual que ela causa pode prejudicar mais do que nossa capacidade de lutar contra a doença e manter nosso corpo funcionando sem problemas. Pode mudar a forma como nosso DNA influencia a nossa saúde.

Quando estava na faculdade, eu aprendi uma fórmula simples: Genes + Fatores Ambientais = Quem Somos. Em quase todas as aulas meus professores me diziam que, quando se tratava da formação da vida humana, os efeitos dos genes e do ambiente não se misturavam. A Criação estava numa caixa e a Natureza em outra. Durante muito tempo isso foi parte da sabedoria convencional – até de repente deixar de ser. Para surpresa de muitos cientistas, novas pesquisas sugerem que essa equação não poderia estar mais longe da verdade. Só porque você tem certo tipo de gene, isso não significa que ele o afete. O que determina quem somos é se esses genes estão ativados ou desativados.

Uma maneira de pensar sobre isso é imaginar que o seu DNA é como um piano enterrado no fundo de suas células.[53] As teclas do piano são seus genes, que podem ser tocados de várias maneiras. Algumas teclas nunca serão tocadas. Outras serão pressionadas com frequência e em combinações constantes. Parte do que me distingue de você e você de todas as outras pessoas no mundo é como essas teclas são tocadas. Isso se chama expressão gênica. É o recital genético dentro de suas células que desempenha um papel na forma como seu corpo e sua mente funcionam.

Nossa voz interna, ao que parece, gosta de fazer cócegas nas nossas teclas genéticas. A maneira como falamos conosco pode influenciar quais teclas são tocadas. O professor de medicina da UCLA (Universidade da Califórnia em Los Angeles) Steve Cole passou sua carreira estudando como natureza e criação colidem em nossas células.[54] Ao longo de vários estudos, ele e seus colegas descobriram que a experiência de ameaças crônicas alimentadas pelo falatório influencia a forma como nossos genes se expressam.

Cole e outros pesquisadores descobriram que um conjunto semelhante de genes de mediadores inflamatórios[55] é expresso com mais intensidade em pessoas que sofrem ameaças crônicas, independentemente de esses sentimentos se originarem da solidão, de lidar com o estresse da pobreza ou com o diagnóstico de doenças. Isso acontece porque nossas células interpretam a experiência de uma *ameaça psicológica* crônica como uma situação visceralmente hostil, equivalente a um ataque físico.

Quando nossas conversas internas ativam nosso sistema de ameaças com frequência ao longo do tempo, elas enviam mensagens para nossas células que acionam a expressão de genes de mediadores inflamatórios, que têm como objetivo nos proteger naquele momento, mas causam danos a longo prazo. Ao mesmo tempo, as células que desempenham funções diárias normais, como repelir patógenos virais, são suprimidas, abrindo caminho para doenças e infecções.[56] Cole chama esse efeito do falatório de "morte a nível molecular".

Vantagem ou desvantagem?

Aprender sobre os efeitos que nossos diálogos internos negativos têm em nossa mente, no nosso corpo e nos nossos relacionamentos pode ser tremendamente perturbador. Como cientista mergulhado nesse trabalho, muitas vezes não consigo deixar de pensar como essa pesquisa se aplica à minha vida e à vida das pessoas que amo. Estaria mentindo se dissesse que não fico preocupado cada vez que vejo uma das minhas filhas se preocupando com alguma coisa.

No entanto, quando olho ao meu redor, vejo exemplos que oferecem esperança. Vejo alunos que deixam de ser calouros inseguros cheios de dúvidas para se tornarem veteranos confiantes, prontos para fazer contribuições para o mundo. Vejo pessoas que enfrentam dificuldades tremendas encontrarem maneiras de se conectar com outras e receber apoio de seu círculo social. E vejo gente que já viveu em estado de estresse crônico conseguir ter uma vida saudável. Quando era jovem, minha avó Dora escapou dos nazistas na Polônia escondendo-se numa floresta durante um ano apavorante e ainda assim ela conseguiu viver mais setenta anos muito felizes e resilientes nos Estados Unidos.

Esses importantes contraexemplos me trazem de volta ao que é o grande enigma da mente humana: como é possível que nossa voz interna seja uma vantagem *e* uma desvantagem. As palavras que passam pela nossa cabeça podem nos desmontar, mas também podem nos levar a realizações significativas... se soubermos como controlá-las. Ao mesmo tempo que nossa espécie desenvolveu uma voz interna, que pode nos afogar no falatório, também desenvolvemos ferramentas para transformá-la em nossa maior força. Basta olhar para Rick Ankiel, que voltou às divisões principais em 2007 – não como lançador, mas como defensor externo, e ainda lidando com a pressão de jogar diante de dezenas de milhares de fãs.

Ankiel jogaria na liga profissional por mais sete anos, sendo conhecido pelo grande alcance de seu braço no campo externo e seu giro explosivo na base. Segundo suas palavras, ele foi o lançador que perdeu a carreira "mais ou menos no pior momento possível, passou quase cinco anos lutando contra isso com uma determinação que beirava a obsessão e se transformou no batedor que podia rebater uma bola até o alambrado e em um defensor externo de braço de ouro novamente. Foi tudo muito estranho e maravilhoso".

Ainda mais estranho e maravilhoso, em 2018, quatro anos depois de se aposentar, Ankiel assumiu o posto de lançador num jogo de exibição de ex-jogadores profissionais, a primeira vez que fazia isso em público em quase vinte anos desde seu incidente contra o Braves.[57]

E conseguiu superar o rebatedor.

Agora, para começar a aprender as técnicas ocultas para controlar nossa voz interna, só precisamos de um dos alunos mais notáveis que já tive. Uma espiã do oeste da Filadélfia.

capítulo três

Diminuindo o zoom

"Você já matou alguém?", perguntou o examinador.[1]

Se estivesse em qualquer outro lugar, com qualquer outra pessoa, e se seu futuro não estivesse em jogo naquela pergunta absurda, mas aparentemente crucial, ela teria revirado os olhos.

"Como disse da última vez", respondeu Tracey, "não, eu nunca matei ninguém."

Claro que não, pensou. *Eu tenho 17 anos! Não sou uma assassina.*

Era o segundo teste do polígrafo que fazia com a Agência de Segurança Nacional, a organização de inteligência altamente secreta dos Estados Unidos. O corpo de Tracey – sua frequência cardíaca e sua respiração – a traiu quando foi questionada pela primeira vez, e aquela tremulação no gráfico indicava que estava mentindo. Agora, dois meses depois, estava no mesmo escritório no meio de Maryland, passando por um segundo teste do polígrafo.

E se eles não acreditarem em mim de novo?, pensou ela, sua voz interna fazendo um comentário ansioso sob o olhar inescrutável do examinador. Tracey sabia qual era a resposta a sua pergunta: se eles não acreditassem nela, o futuro com o qual sonhava desapareceria.

● ● ●

Desde que se entendia por gente, Tracey sabia que queria mais do que a vida que tinha. Escola e aprendizado sempre foram fáceis para ela, ainda que muitas outras coisas não fossem. Fora criada num bairro perigoso na zona oeste da Filadélfia e, embora sua família não fosse tão pobre, o dinheiro limitava seu futuro.

Em seu primeiro ano no ensino médio, Tracey ficou sabendo sobre um programa num internato no nordeste do país que permitia que alunos superdotados de todos os Estados Unidos concluíssem os últimos dois anos do ensino médio num ritmo acelerado que os preparava para ingressar em faculdades de elite. Embora a ideia de deixar a família e abandonar a vida que tinha para morar em outro ambiente fosse assustadora, a perspectiva de conhecer novas pessoas, ser desafiada intelectualmente e fugir da realidade que conhecera até então a atraía. Ela se esforçou muito na inscrição e foi admitida.

O internato expôs Tracey a um novo mundo de amigos e ideias que, pela primeira vez em sua vida, realmente a testaram. Apesar de às vezes se sentir deslocada entre os colegas, em sua maioria brancos e de classes privilegiadas, ela estava contente.

Como uma das poucas estudantes afro-americanas de seu programa, Tracey costumava ser convidada a eventos para ajudar a arrecadar dinheiro para a escola. Histórias como a dela tendem a abrir as carteiras de doadores ricos. Durante um desses eventos, conheceu um homem chamado Bobby Inman, ex-diretor da Agência de Segurança Nacional (NSA) dos Estados Unidos.

Durante a conversa, Inman falou sobre um programa de graduação altamente seletivo que a NSA oferecia aos alunos mais talentosos e patrióticos do país e incentivou-a a se inscrever. Tracey fez a inscrição e a NSA a chamou para a entrevista. Só que ela não passou no primeiro teste do polígrafo, fazendo-a duvidar se seus sonhos se tornariam realidade. Na segunda tentativa, no entanto, conseguiu controlar os nervos e a NSA acreditou que ela não tinha cometido assassinato algum, se é que realmente havia suspeitado disso da primeira vez. Sua vida estava prestes a mudar de forma radical, embora sua primeira experiência no polígrafo acabasse sendo um prenúncio do que estava por vir: os desafios de administrar sua voz interna.

À primeira vista, os termos da bolsa de estudos eram tudo que ela queria. A NSA cobriria o custo total da educação universitária de Tracey e ainda forneceria uma generosa ajuda de custo mensal. Claro que havia condições. Teria que passar os verões estudando para se tornar uma analista ultrassecreta e trabalhar para a NSA por pelo menos seis anos após se formar. Ainda assim, era uma oportunidade incrível, e ficou melhor ainda quando ela entrou em Harvard naquela primavera. Tracey iria estudar de graça numa das melhores universidades do país e teria pela frente um futuro emocionante.

Algumas semanas antes do início das aulas em Harvard, teve sua primeira amostra de como seria trabalhar na NSA. Durante seu período de integração de uma semana, recebeu autorizações ultrassecretas que permitiam o acesso a informações altamente confidenciais. Também soube dos detalhes das restrições que vinham junto com sua bolsa. Ela só poderia se formar em determinadas matérias cruciais para os interesses da NSA: disciplinas como engenharia elétrica, ciência da computação e matemática. Não poderia namorar nem manter amizades íntimas com estudantes de outros países. Não poderia estudar no exterior. Foi desencorajada a praticar esportes universitários. Aos poucos, mas inexoravelmente, a bolsa de estudos de Tracey, seu bilhete premiado, foi se transformando em um par de algemas de ouro.

Enquanto outros calouros em seu dormitório se misturavam livremente, Tracey se mantinha na defensiva. No passado, tinha sido a analisada. Agora, nas reuniões era a analista, sondando o rosto das pessoas e as entonações de voz em busca de pistas sobre de onde elas eram, por medo de se tornar amiga – ou, pior, talvez até se sentir atraída – por alguém de algum país distante. Sentia-se igualmente constrangida nas aulas de matemática e engenharia em que estava matriculada, diferentes dos cursos interessantes e diversificados que tantos de seus colegas faziam. Enquanto caminhava pelas alamedas arborizadas do campus de Harvard nos intervalos entre as aulas, seus pensamentos se atinham a todas as coisas não muito boas sobre aquela supostamente grande oportunidade. Tracey começou a se perguntar se não havia cometido um erro.

O tempo passou. À medida que ia passando de período, Tracey se sentia cada vez mais solitária. Estava se afogando, como ela mesma disse, em seu "diálogo interno". Não podia falar sobre como passava as férias – sobre o treinamento em criptografia e construção de placas de circuito ou sobre aprender a escalar telhados para ligar antenas. Mas seus sentimentos de isolamento eram apenas uma das fontes de estresse. Outra foi o fato de que engenharia, um dos cursos mais exigentes de Harvard, estava se revelando o desafio acadêmico mais difícil que ela já enfrentara e, se sua média geral ficasse abaixo de 3,0, ela seria expulsa do programa da NSA e obrigada a devolver ao governo o dinheiro que já havia recebido – uma perspectiva aterradora.

O fluxo de sua voz interna, cada vez mais negativa, a consumia. As ruminações sobre o que aconteceria se não conseguisse as notas de que precisava aumentavam antes das provas. Atormentada pela ansiedade, começou a mastigar compulsivamente a ponta do lápis e a mexer no cabelo durante os exames. Seus tiques nervosos lhe proporcionavam uma estranha sensação de conforto. Apesar de seus esforços para manter uma aparência externa de que tudo estava bem, seu corpo a traía mais uma vez, de uma maneira diferente do que acontecera no seu primeiro exame no polígrafo. Assim que começou a se estressar com suas notas, teve acne cística no rosto, com espinhas cheias de pus sob a pele que exigiram injeções de cortisona. Era como se o falatório fermentando sob sua superfície fosse extremo demais para ser contido. Ela não sabia quanto mais conseguiria aguentar.

Tracey sentiu que tinha duas opções: ser reprovada ou desistir.

Tornando-se uma mosca na parede

A história de Tracey, como as da maioria das pessoas cujas conversas internas se tornam fossos de negatividade, é um exercício de distanciamento – do distanciamento que temos ou não temos dos nossos problemas.

Podemos pensar na mente como uma lente, e na nossa voz interna como um botão de zoom. No sentido mais simples, o falatório é o que acontece quando damos zoom e fechamos o foco em algo, inflamando nossas emoções até excluir todas as formas alternativas de pensar sobre o assunto que podem nos acalmar. Em outras palavras, nós perdemos a perspectiva. Essa visão radicalmente reduzida da situação ressalta a adversidade e dá voz ao lado negativo de nossa voz interna, dando força à ruminação e a seus companheiros: estresse, ansiedade e depressão. Claro que focar a atenção não é um problema em si. Ao contrário, muitas vezes é essencial para nos ajudar a enfrentar as situações desafiadoras e os sentimentos que surgem com elas. Mas quando nos prendemos em nossos problemas e perdemos a capacidade e a flexibilidade de reduzir o zoom – e assim ganhar perspectiva –, nossa voz interna se transforma em ruminação.

Quando nossa conversa interna perde a perspectiva e dá origem a emoções intensamente negativas, as regiões do cérebro envolvidas no processamento autorreferencial (pensar em nós mesmos) e na geração de respostas emocionais são ativadas.[2] Em outras palavras, nosso hardware de resposta ao estresse começa a disparar, liberando adrenalina e cortisol, inundando-nos com emoções negativas que só servem para acelerar ainda mais nosso fluxo verbal negativo e afunilar nosso campo de visão. Em consequência, não conseguimos ter um campo de visão mais amplo que nos mostre maneiras mais construtivas de lidar com as situações emocionalmente difíceis que encontramos.

Mas nosso cérebro evoluiu não só para aumentar o zoom quando enfrentamos dificuldades, mas também para *reduzir* o zoom,[3] embora esse movimento seja muito mais difícil em momentos de estresse. A mente é flexível, se soubermos como moldá-la. Se você estiver com febre, pode tomar algo para baixar a temperatura. Da mesma forma, nossa mente tem um sistema imune psicológico:[4] podemos usar nossos pensamentos para mudar nossos pensamentos – aumentando o distanciamento.

Claro que o distanciamento psicológico não elimina o problema. Por exemplo, mesmo se tivesse conseguido se distanciar de sua situação de muita pressão e se sentido menos angustiada, ainda assim Tracey continuaria em dívida com a NSA e com seu futuro em jogo. Da mesma forma, mesmo se tivesse conseguido manter seu arremesso, nem assim Rick Ankiel ainda estaria brilhando em jogos em rede de TV nacional. O distanciamento não resolve os nossos problemas, mas aumenta a probabilidade de os resolvermos. O distanciamento desanuvia o nosso fluxo verbal.

Então a grande questão é a seguinte: como nos distanciamos psicologicamente quando o falatório dispara?

Por acaso, mais ou menos na mesma época em que Tracey cursava seu primeiro ano em Harvard, eu estava três horas e meia ao sul, em Manhattan, formado em psicologia, num subsolo encardido da Universidade Columbia pensando sobre uma questão muito semelhante. Como as pessoas podem refletir sobre suas experiências negativas sem serem tragadas pelo redemoinho da ruminação? Responder a essa pergunta foi o motivo pelo qual decidi estudar na Columbia com meu orientador, Walter Mischel, um cientista inovador que a maioria conhece como o Cara do Marshmallow.

Walter tornou-se um dos expoentes da psicologia ao elaborar o que o público agora chama de teste do marshmallow, um paradigma para o estudo do autocontrole que reunia crianças num laboratório para um experimento que envolvia uma escolha simples: elas poderiam comer um marshmallow naquele momento ou esperar um pouco e comer dois.[5] O que se descobriu foi que as crianças que esperaram mais tempo tiveram melhor desempenho nos exames vestibulares quando adolescentes, foram mais saudáveis à medida que ficaram mais velhas e lidaram melhor com o estresse na idade adulta que as que pegaram imediatamente aquele único marshmallow pegajoso. Porém ainda mais importante do que documentar esses surpreendentes resultados de longo prazo, o chamado teste do marshmallow (seu verdadeiro nome é teste de adiamento da gratificação) ajudou a revolucionar a compreensão da ciência sobre as ferramentas de que as pessoas dispõem para se controlar.

Quando cheguei a Columbia, Walter e seu então aluno de pós-doutorado Özlem Ayduk já estavam interessados em estudar como ajudar as pessoas a pensar sobre experiências dolorosas sem sucumbir ao falatório. Na época, uma das abordagens dominantes para lutar contra as ruminações da voz interna era a *distração*.[6] Vários estudos mostraram que, quando as pessoas se veem tragadas pelo pensamento verbal negativo, desviar a atenção dos problemas melhorava a maneira como se sentiam. A desvantagem dessa abordagem, no entanto, é que a distração constitui uma solução de curto prazo – um band-aid que tapa a ferida sem curá-la.[7] Se você vai ao cinema para fugir das adversidades da vida real, seus problemas continuam à sua espera quando você sai do cinema. Em outras palavras, fora de vista não é de fato longe da mente, pois os sentimentos negativos permanecem, esperando ansiosamente para serem ativados.

Estranhamente, nessa época a ideia de distanciamento tinha saído de moda na psicologia. Em 1970, Aaron Beck, um dos fundadores da terapia cognitiva e figura influente em saúde mental, propôs que ensinar os pacientes a examinar objetivamente seus pensamentos, um processo que ele chamou de "distanciamento", era uma ferramenta crucial que os terapeutas deveriam empregar com seus pacientes.[8] Nos anos seguintes, porém, o distanciamento passou a ser equiparado a se evadir – a *não pensar* sobre os problemas.[9] Mas, no meu entender, não havia nada inerentemente evasivo no distanciamento. Em teoria, seria possível usar a mente para enquadrar seus problemas com uma perspectiva mais abrangente.

Essa abordagem diferia da prática meditativa da atenção plena, pois o objetivo não era ficar à parte e observar os pensamentos passarem sem se envolver com eles. O objetivo *era* se envolver, porém a partir de uma perspectiva distanciada, que não é a mesma coisa que uma perspectiva emocionalmente evasiva. Essa foi a essência dos ensinamentos do meu pai e o que passei muito tempo praticando enquanto crescia. Assim, Walter, Özlem e eu começamos a pensar sobre as diferentes maneiras pelas quais as pessoas podem "se afastar" de suas experiências para refletir sobre elas de forma mais eficaz. E confluímos numa ferramenta que todos nós temos: nossa capacidade de *visualizar* imaginativamente.

Há uma espécie de dispositivo óptico poderoso embutido na mente humana: a capacidade de ver a si mesmo de longe.[10] Acontece que esse cinema mental projeta cenas quando pensamos em experiências desagradáveis do passado ou imaginamos possíveis cenários que geram ansiedade com o futuro. São quase como vídeos armazenados num celular. Mas essas cenas não são fixas. Estudos mostram que não vemos nossas memórias e nossos devaneios da mesma perspectiva todas as vezes. Podemos vê-los de diferentes perspectivas. Por exemplo, às vezes reproduzimos uma cena acontecendo diante dos nossos olhos como se estivéssemos de volta ao evento na primeira pessoa. Mas também podemos nos ver *de fora*, como se tivéssemos sido transplantados para outro ponto de vista. Tornamo-nos uma mosca na parede. Seria possível aproveitar essa capacidade para regular melhor nossa voz interna?

Özlem, Walter e eu reunimos voluntários no laboratório para descobrir. Para isso, pedimos a um grupo que revivesse uma lembrança perturbadora em sua mente com os próprios olhos. Pedimos a outro grupo que fizesse o mesmo, mas a partir da perspectiva de uma *mosca na parede*, observando-se visualmente como um espectador.[11] Em seguida, pedimos aos participantes que refletissem sobre seus sentimentos a partir da perspectiva que haviam adotado. As diferenças no fluxo verbal que caracterizaram os dois grupos foram impressionantes.[12]

Os *imersores* – os participantes que viram o evento da perspectiva em primeira pessoa – ficaram presos em suas emoções e na enxurrada verbal que liberaram. Em seus relatos descrevendo seu fluxo de pensamentos, tenderam a se concentrar na dor emocional. "Infusão de adrenalina. Irritado. Traído", escreveu um deles. "Bravo. Vitimizado. Magoado. Envergonhado. Rebaixado. Sacaneado. Humilhado. Abandonado. Desvalorizado. Deixado de lado. Limites desrespeitados." Suas tentativas de "olhar para dentro" e trabalhar suas conversas internas só levaram a mais sentimentos negativos.

O grupo da mosca na parede, entretanto, apresentou narrativas contrastantes.

Onde os imersores se emaranharam nas ervas daninhas emocionais, os *distanciadores* generalizaram, o que os fez se sentir melhor.

"Consegui ter uma visão mais clara da questão", escreveu um deles. "No começo tive uma empatia maior comigo mesmo, mas depois comecei a entender como meu amigo se sentia. Pode ter sido irracional, mas agora entendo sua motivação." Seus pensamentos eram mais claros e complexos e, com certeza, eles pareceram ter visto os eventos com a visão de um observador externo. Conseguiram emergir da experiência com uma história construtiva. O experimento forneceu evidências de que se distanciar para entender melhor nossas experiências pode ser útil para mudar o tom de nossa voz interna.

Logo depois, em outros estudos, nós e outros pesquisadores percebemos que ampliar o campo de visão dessa forma também freava a resposta cardiovascular do tipo lutar ou fugir provocada pelo estresse,[13] reduzia a atividade emocional do cérebro[14] e levava as pessoas a sentir menos hostilidade e agressão ao ser provocadas[15] – o tipo de situação que é terreno fértil para atiçar o falatório. Também descobrimos que essa técnica de distanciamento funcionava não apenas com amostragens aleatórias de estudantes universitários, mas também com os que lutavam com formas mais extremas de tormento da voz interna. Por exemplo, com pessoas com depressão[16] e até pais muito angustiados de filhos passando por dolorosos tratamentos de câncer.[17] Mas, a essa altura, nossas descobertas ainda eram limitadas. Elas se referiam apenas a como o distanciamento nos afeta no momento. Também queríamos saber se teria efeitos duradouros, se reduzia o tempo que as pessoas passavam ruminando.

Acontece que não éramos os únicos interessados em explorar essa questão.

Não muito depois de publicarmos nosso trabalho inicial, uma equipe de pesquisadores da Universidade de Leuven, na Bélgica, liderada por Philippe Verduyn,[18] elaborou uma série de estudos inteligentes para verificar se a tendência de pessoas a se distanciar na vida cotidiana, fora do ambiente de um laboratório, influenciava a duração de seus episódios emocionais. E descobriram que o distanciamento com a adoção de uma perspectiva como observador reduzia a duração dos humores negativos de pessoas que tivessem passado por eventos que as fizeram sentir raiva ou tristeza. O distanciamento poderia apagar incêndios florestais antes de se transformarem em conflagrações de longa duração.

Essa característica de amortecimento do distanciamento poderia, no entanto, ter uma consequência indesejada. O distanciamento encurtava tanto as experiências negativas como as *positivas*. Em outras palavras, se alguém fosse promovido no emprego e se distanciasse para se lembrar de que status e dinheiro realmente não importam no grande esquema das coisas e que todos nós um dia vamos morrer, a merecida alegria também diminuiria. Conclusão: se você quiser se apegar a experiências positivas, a última coisa que deve fazer é se tornar uma mosca na parede. Nesses casos, imerja.

A essa altura, ficou claro que todos somos propensos à imersão psicológica ou ao distanciamento psicológico quando refletimos sobre as experiências emocionais, embora não estejamos presos em nenhum dos dois estados.[19] Nossas tendências moldam os padrões da nossa voz interna, mas felizmente o mesmo acontece com nossa capacidade de alterar conscientemente a nossa perspectiva.

Além do nosso trabalho e do de Verduyn, uma série de outros estudos publicados na mesma época começou a mudar nossa compreensão do papel do distanciamento em ajudar pessoas a controlar suas emoções. Pesquisadores de Stanford,[20] por exemplo, encontraram relação entre a adoção da perspectiva de um observador imparcial e menos ruminação ao longo do tempo. Do outro lado do Atlântico, pesquisadores de Cambridge[21] descobriram que ensinar as pessoas a "ver o quadro geral" reduzia o pensamento intrusivo (o tipo que drena as funções executivas) e evitava memórias dolorosas. Outros experimentos demonstraram que mesmo a redução do tamanho de uma imagem que causa angústia na imaginação diminui a aflição que as pessoas sentem ao vê-la.[22]

Outro trabalho aplicou o conceito de distanciamento na educação, mostrando como induzir alunos da nona série a se concentrarem no quadro geral para fazer seus trabalhos escolares – por exemplo, enfatizando quanto se sair bem na escola os ajudaria a conseguir os empregos desejados e contribuir para a sociedade como adultos –, fez com que eles tirassem notas mais altas e se concentrassem melhor em tarefas entediantes, mas importantes.[23] Assim o distanciamento nos ajuda a lidar melhor não só com as grandes emoções que sentimos em situações perturbadoras, mas também com os desafios emocionais diários menores, porém cruciais, de frustração e de tédio que vêm junto com os aspectos mais chatos do trabalho e da educação.

Tudo isso nos ensinou que dar um passo para trás pode ser eficaz para ajudar pessoas a administrar o falatório em uma variedade de contextos cotidianos. Mas logo iríamos aprender que o distanciamento mental também tem implicações positivas em outra coisa importante: a sabedoria.

O Paradoxo de Salomão

O ano seria o de 1010 a.C.[24] Os sonhos maternos de uma mulher de Jerusalém chamada Bate-Seba finalmente se tornaram realidade. Após perder seu primeiro filho, ela deu à luz um segundo: um menino saudável a quem chamou de Salomão. Como a Bíblia nos diz,[25] ele não era um bebê comum. Filho de Davi (aquele famoso por derrotar Golias), Salomão cresceu e se tornou rei do povo judeu. Líder incomparável, era respeitado não apenas por seu poderio militar e sua perspicácia econômica, mas também por sua sabedoria. Pessoas viajavam de terras distantes em busca de seus conselhos.

A mais famosa resolução de uma disputa decretada por Salomão foi entre duas mulheres que alegavam ser mãe da mesma criança. Salomão sugeriu que cortassem a criança ao meio e, assim que uma das mulheres tentou se sacrificar para salvar a criança, ele a identificou como a verdadeira mãe. Em uma irônica reviravolta do destino, no entanto, quando se tratava de sua vida, Salomão não era tão sábio. Galanteador e impulsivo, ele se casou com centenas de mulheres de diferentes religiões e fez de tudo para agradá-las, construindo templos e santuários sofisticados para que elas pudessem adorar seus deuses. Isso acabou alienando-o de seu próprio Deus e das pessoas que governava, o que finalmente levaria ao colapso de seu reinado em 930 a.C.

A assimetria na forma de pensar do rei Salomão é uma parábola sobre o falatório que demonstra um aspecto fundamental da mente humana: nós não nos vemos com o mesmo distanciamento e a mesma objetividade com que vemos os outros. Dados mostram que isso vai além da alegoria bíblica: todos somos vulneráveis a isso. Meus colegas e eu nos referimos a esse viés como "Paradoxo de Salomão",[26] embora o rei Salomão não seja de forma alguma o único sábio que poderia emprestar seu nome ao fenômeno.

Veja como exemplo uma história pouco conhecida sobre um dos homens mais sábios da história dos Estados Unidos, Abraham Lincoln, que em 1841 encontrava-se em um impasse tanto profissional quanto romântico. Ele ainda não tinha se firmado como advogado da forma como almejava. Também se sentia angustiado com as dúvidas sobre seus sentimentos por sua noiva, Mary, pois tinha se apaixonado por outra mulher. Imerso em seus problemas, mergulhou em depressão, ou no que um historiador chamou de "melancolia de Lincoln".

No ano seguinte, quando o futuro presidente começou a recuperar a esperança e a lucidez, um bom amigo, Joshua Speed, teve dúvidas semelhantes sobre o próprio noivado. Agora num papel diferente, Lincoln foi capaz de dar bons conselhos a Speed, algo de que não fora capaz em relação à própria situação. Disse a Speed que o problema eram suas ideias sobre o amor, não a mulher de quem estava noivo. Mais tarde Lincoln refletiu, como escreve Doris Kearns Goodwin em seu livro *Team of Rivals* (Time de rivais), que "se tivesse entendido seu namoro confuso tão bem quanto entendeu o de Speed, ele teria 'singrado por mares tranquilos'".[27]

Antes de analisarmos como o distanciamento pode levar à sabedoria, vale a pena reservar um momento para perguntar o que a sabedoria é realmente na prática.[28] Em um campo rigoroso como a psicologia, um conceito aparentemente amorfo como a sabedoria parece difícil de definir a princípio. No entanto, os cientistas identificaram suas características mais notáveis. A sabedoria envolve usar a mente para raciocinar construtivamente sobre um determinado conjunto de problemas: os que envolvem incerteza. As formas sábias de raciocínio referem-se a enxergar o "quadro geral" em vários sentidos: reconhecer os limites do próprio conhecimento, tomar consciência dos diversos contextos da vida e como eles podem se desdobrar ao longo do tempo, reconhecendo os pontos de vista de outras pessoas e reconciliando perspectivas opostas.

Embora geralmente associemos sabedoria com idade avançada, pois quanto mais você vive, mais incertezas terá vivenciado e aprendido com elas, a pesquisa indica que é possível ensinar as pessoas a pensar com sabedoria, independentemente da idade – através do distanciamento.[29]

Considere um estudo que Igor Grossmann e eu fizemos em 2015. Apresentamos às pessoas um dilema e pedimos que previssem como ele se desenrolaria no futuro. Um grupo de participantes foi convidado a imaginar que seu parceiro os havia traído, enquanto outro grupo imaginou exatamente a mesma coisa acontecendo com um amigo – um método prático de criar distanciamento psicológico.

Apesar de algumas pessoas acharem que a indignação é a resposta mais sábia ao descobrir que foram traídas pelo parceiro, nosso interesse era saber se o distanciamento diminuiria em vez de aumentar o conflito ao cultivar uma resposta sábia. Como esperávamos, as pessoas se mostraram muito mais sábias quando imaginavam que o problema estava acontecendo com outro. Consideraram mais importante chegar a um acordo com o parceiro infiel e também estavam mais abertas para ouvir a perspectiva dessa pessoa.[30]

Outro exemplo de como as pessoas podem usar o distanciamento como uma escotilha de escape do Paradoxo de Salomão vem da pesquisa sobre tomada de decisões médicas. Poucos contextos são mais provocadores – e apresentam mais consequências – do que ter que tomar uma decisão importante sobre a própria saúde. A incerteza envolvida no caso de dor física ou uma doença, sem falar na mortalidade, sobrecarrega o fluxo verbal de preocupação, o que pode turvar nosso julgamento e nos levar a tomar decisões erradas que, ironicamente, prejudicam ainda mais a nossa saúde.

Em um experimento em grande escala, um grupo de cientistas deu uma escolha às pessoas: não fazer nada e ter 10% de chance de morrer de câncer ou se submeter a um novo tratamento que implicava um risco de morte de 5%. Obviamente, a segunda opção é melhor, pois o risco de morte é 5% menor. No entanto, coerentes com pesquisas anteriores que indicaram que muitas vezes as pessoas optam por não fazer nada em vez de fazer alguma coisa quando se trata de saúde, 40% dos participantes preferiram a opção com maior risco de morte.[31] Porém – e este é um grande porém –, quando essas mesmas pessoas foram solicitadas a tomar essa decisão por outra pessoa, somente 31% fizeram a escolha errada.[32] Quando se enquadra essa diferença percentual no número de diagnósticos de câncer por ano – 18 milhões –,[33] isso significa que mais de 1,5 milhão de pessoas poderia sabotar o melhor curso do seu tratamento. Mas essa falta de sabedoria, causada pela falta de distanciamento mental, também pode influenciar outras áreas da nossa vida.

Daniel Kahneman, psicólogo ganhador do Prêmio Nobel e autor de *Rápido e devagar: Duas formas de pensar,* escreveu que uma de suas experiências mais informativas foi a de aprender como evitar uma "visão interna" e adotar uma "visão externa".[34] Como ele explica, uma visão interna limita seu pensamento às suas circunstâncias. Como você não sabe o que não sabe, isso geralmente leva a previsões imprecisas sobre potenciais obstáculos. A visão externa, por outro lado, inclui uma amostragem mais ampla de possibilidades e, portanto, é mais acurada. Você é capaz de prever melhor os obstáculos e se preparar de acordo.

Embora os pontos de vista de Kahneman digam respeito a prever o futuro com precisão, as pesquisas mostram que a capacidade de sair de si mesmo – outra maneira de distanciamento mental – é útil para a tomada de decisões de forma mais geral.[35] Pode nos ajudar a superar a sobrecarga de informações[36] – por exemplo, quando estamos avaliando características e diferenças de preços ao comprarmos um carro – para termos mais clareza. Pode reverter a "aversão à perda", um conceito popularizado por Kahneman, referindo-se ao fato de que as pessoas são muito mais sensíveis a perdas do que a ganhos.[37] Além disso, pode tornar as pessoas mais receptivas e tolerantes a pontos de vista alternativos. Em um estudo conduzido pouco antes da eleição presidencial de

2008 nos Estados Unidos,[38] Igor e eu descobrimos que pedir às pessoas para imaginar um futuro em que o candidato que escolheram perdesse a eleição de uma perspectiva distante (pedimos que imaginassem que estavam morando em outro país) as tornava menos radicais em suas visões políticas e mais abertas à ideia de cooperar com aqueles que apoiavam o candidato adversário.

Esses efeitos interpessoais positivos do distanciamento, que nos tornam mais sábios, fazem com que essa habilidade seja inestimável para outra área da vida que muitas vezes faz aflorar resmungos da nossa voz interna: nossos relacionamentos românticos. Meu colega Özlem e eu conjeturamos como o distanciamento poderia afetar a harmonia com um parceiro íntimo. Assim, durante 21 dias nós analisamos a tendência das pessoas a se distanciarem cada vez que brigavam com seu par romântico. Descobrimos que o fato de as pessoas se "distanciarem" ou "imergirem" quando pensavam sobre os problemas em seus relacionamentos influencia a maneira como argumentam. Quando o parceiro de um imersor argumentava calmamente, o imersor respondia da mesma maneira – com paciência e compaixão equivalentes. Mas, assim que os parceiros começavam a mostrar o mais leve indício de raiva ou desdém, os imersores reagiam com a mesma moeda. Quanto aos distanciadores, quando seus parceiros falavam com calma, eles também se mantinham calmos. Mas, mesmo que o parceiro ficasse irritado, eles ainda conseguiam lidar com o problema, o que amenizava o conflito.[39]

Um experimento subsequente levou essa pesquisa ainda mais longe, mostrando que ensinar casais a se distanciarem quando se envolvem em desentendimentos em seus relacionamentos amortecia o declínio romântico.[40] Ao longo de um ano, passar 21 minutos tentando resolver seus conflitos a partir de uma perspectiva distanciada fez os casais vivenciarem menos infelicidade juntos. Mesmo não sendo exatamente uma poção do amor, o distanciamento pode impedir que a chama da paixão se apague.

Todas essas pesquisas demonstram como dar um passo para trás pode ser útil para mudar a natureza das conversas que temos com nós mesmos. De uma forma mais geral, também mostram como podemos raciocinar com sabedoria sobre as situações que enfrentamos que mais provocam falatório – as que envolvem incerteza, o que requer sabedoria. Mas o mais impressionante para mim em todos esses trabalhos é a revelação de quantas maneiras existem para conseguir um distanciamento psicológico, quantas opções nossa mente nos dá para ganhar perspectiva. Mas às vezes precisamos de mais do que sabedoria. Como Tracey aprenderia em Harvard, precisamos de novas histórias – narrativas imaginárias que contribuem para o distanciamento – que criamos controlando o poder da máquina do tempo em nossa mente.

Viagem no tempo e o poder da caneta

Lá estava Tracey em seu dormitório todas as noites, mastigando a borracha do seu lápis, atormentada pela acne, sua voz interna num vórtice de desalento ante as exigências estressantes de ser uma agente secreta em treinamento e uma estudante solitária com uma bolsa de estudos numa universidade de elite. Impotente e imersa em sua ansiedade, ela finalmente conversou com terapeutas de Harvard e da NSA. Para sua frustração, nenhum dos conselheiros ajudou muito. Ela continuou tão sozinha como sempre – ou não?

Como passatempo, mas de alguma forma sentindo que poderia ajudá-la, Tracey embarcou em um projeto de história da família. Estava fascinada pela longa cadeia de pessoas e eventos que a trouxeram à existência. Assim, durante os intervalos da escola, quando não era obrigada a estar na NSA, pesquisava histórias de seu passado. Isso a levou a andar na garupa de motocicletas com parentes ao redor do lago Michigan e a caminhar nas margens do lago Merritt, na Califórnia, a vagar pelas ruas engorduradas do Bairro Francês de Nova Orleans com duas tias e a passar a mão em lápides de família espalhadas pelo cemitério na estrada da fazenda incendiada de seus antepassados no meio do Texas.

Enquanto seus parentes se abriam com ela, Tracey soube das dificuldades de fazer parte de uma das primeiras famílias afro-americanas a morarem em Kalamazoo, no Michigan. Descobriu que sua bisavó era uma praticante de vodu e teve um relacionamento com um homem branco, seu bisavô, e aprendeu sobre as orações que ela fazia para afastar os maus espíritos. E, depois de uma sondagem cuidadosa mas persistente, finalmente conseguiu que diferentes parentes falassem sobre os capítulos mais dolorosos e opressivos do passado de sua família nos Estados Unidos. Confirmou que era tataraneta de pessoas escravizadas e soube que um de seus bisavôs havia sido linchado e que outro fora recrutado pelo exército confederado. Também descobriu que era descendente de George Washington.

Quanto mais Tracey se aprofundava na história de sua família, mais calma se sentia quando voltava para Harvard. Por um lado, ao explorar o legado de seus antepassados, parecia estar demonstrando ao mundo que uma descendente de africanos escravizados podia ter sucesso em uma das instituições mais prestigiosas do mundo. Apesar de suas dificuldades em Harvard, essa perspectiva histórica forneceu uma visão panorâmica de quão longe havia chegado, até mesmo fazendo-a pensar que seus ancestrais se sentiriam orgulhosos por ela. Ao mesmo tempo, saber sobre o sofrimento que seus antepassados tinham aguentado também ajudou a colocar suas provações e tribulações em perspectiva. Em sua mente, a aflição de não tirar boas notas e não poder namorar quem ela quisesse empalideceu em comparação com aos tormentos que seus antepassados deviam ter sofrido sendo explorados e escravizados. Tracey tornou-se uma mosca na parede não só de sua vida, mas de gerações – da longa linhagem de ancestrais que sobreviveram à travessia transatlântica como escravizados e que acabaram prosperando nos Estados Unidos com o tempo. Isso acalmou radicalmente sua voz interna.

Vários estudos apoiam cientificamente o que Tracey vivenciou pessoalmente, mostrando que a capacidade de viajar estrategicamente no tempo na própria mente pode ser uma ferramenta para criar narrativas pessoais positivas que redirecionam diálogos internos negativos.[41] Mas os benefícios da viagem mental no tempo não se restringem a adotar uma visão panorâmica do passado para tecer uma história positiva sobre o presente. É possível se beneficiar também viajando mentalmente no tempo *para o futuro,* uma ferramenta chamada *distanciamento tem-*

poral.[42] Estudos mostram que pedir a pessoas que estão passando por uma experiência difícil que imaginem como se sentirão a respeito daqui a dez anos em vez de amanhã pode ser outra maneira notavelmente eficaz de colocar sua experiência em perspectiva. Isso leva as pessoas a entenderem que suas experiências são temporárias, o que lhes dá esperança.

Assim, em certo sentido, o que o distanciamento temporal promove é uma das facetas da sabedoria: a compreensão de que o mundo está em constante fluxo e que as circunstâncias mudam. Reconhecer essa característica da vida em relação a experiências negativas pode ser tremendamente aliviante. Foi o que me ajudou, por exemplo, a lidar com o que talvez tenha sido o evento mais indutor de falatório do século: a pandemia de Covid-19 de 2020.

À medida que as escolas fechavam, as quarentenas começaram a entrar em vigor e o mundo lá fora ficou silencioso, o falatório começou a fermentar na minha mente e na de milhões de outras pessoas. Será que o distanciamento social vai afetar o bem-estar dos meus filhos? Como vou sobreviver sem sair de casa por semanas? Será que a economia um dia vai melhorar? Pensar em como vou me sentir quando a pandemia acabar me faz perceber que estamos passando por algo temporário. Assim como inúmeras pandemias surgiram e desapareceram na longa história de nossa espécie, a ameaça da Covid-19 também vai acabar passando. Isso animou minha voz interna.

Meu colega Özlem descobriu que o distanciamento temporal ajuda as pessoas a lidar com grandes fatores estressantes, como a perda de um ente querido, mas também menores, mas ainda assim cruciais, como a aproximação da data de entrega de algum trabalho. E, o melhor de tudo, essa técnica não só faz você se sentir melhor; melhora até mesmo seus relacionamentos amorosos, possibilitando discussões com menos culpa e mais perdão.

Concomitantemente ao seu projeto de história da família, Tracey manteve um diário durante seus anos na faculdade. Isso também se tornou um meio para ganhar distanciamento. Ainda que o hábito de escrever um diário certamente exista desde a invenção da palavra escrita, só nas últimas décadas pesquisas começaram a elucidar o consolo psicológico que propicia. Muito desse trabalho foi iniciado pelo psicólogo James Pennebaker (sim, ele tem a palavra "caneta" [Pen] em seu nome).[43] Ao longo de uma longa e distinta carreira, ele mostrou que pedir às pessoas que escrevam sobre suas experiências negativas mais perturbadoras por quinze a vinte minutos – criando uma narrativa sobre o que aconteceu, se você preferir – as faz se sentirem melhor, ir menos ao médico e ter um sistema imune mais saudável. Ao focar nossas experiências a partir da perspectiva de um narrador que precisa criar uma história, o registro no diário cria um distanciamento da nossa experiência. Sentimo-nos menos presos a ela.[44] Tracey escreveu seu diário por anos, e isso a ajudou imensamente.

Graças a sua capacidade criativa de pacificar seus diálogos internos, ao término do último ano de Tracey em Harvard sua acne havia diminuído, assim como os tiques nervosos, e suas notas foram excelentes. Seu falatório fora dominado. Depois de se formar em Harvard, começou a trabalhar para a NSA. Passaria os oito anos seguintes envolvida em missões secretas em zonas de conflito ao redor do mundo. Com centenas de horas de treinamento avançado em idiomas, falava francês e árabe fluentemente e se integrou perfeitamente em suas várias atribuições, muitas das quais ainda permanecem confidenciais. O trabalho de inteligência que produziu seria usado para informar os mais altos escalões do governo dos Estados Unidos, inclusive a Casa Branca. Sob vários aspectos, Tracey acabaria tendo a vida dinâmica e cinematográfica que havia fantasiado quando soube da bolsa da NSA ainda no ensino médio. Até hoje ela mantém um diário.

E agora Tracey é professora em uma universidade de elite (e não trabalha mais para o governo).

* * *

O estranho de ser um psicólogo, principalmente um que estuda como controlar a voz interna, é que, sejam quais forem as revelações produzidas pela sua pesquisa, você não consegue escapar de ser você mesmo.

Ou seja, quando "olho para dentro" ainda posso me perder, apesar de tudo que sei sobre como me distanciar. Não há outra maneira de explicar o que aconteceu comigo quando recebi aquela carta com ameaças. Eu conhecia uma variedade de ferramentas de distanciamento para acalmar o meu falatório: adotar a perspectiva da mosca na parede, assumir a perspectiva de um observador imparcial, imaginar como me sentiria no futuro, escrever em um diário e assim por diante. E mesmo assim...

Eu fiquei imerso.

Preso em todo o falatório.

Vivendo o Paradoxo de Salomão.

Tudo que conseguia fazer era verbalizar minha voz interna em pânico. Naturalmente, isso criou tensão entre mim e minha mulher, e mesmo sua perspectiva distanciada não conseguia me arrancar do meu diálogo. Meu falatório era tão intenso que parecia não haver saída – até que de repente encontrei o caminho.

Eu disse meu nome.

capítulo quatro

Quando eu me torno você

Eram três horas da manhã e eu estava de pijama, olhando pela janela do meu escritório em casa, observando a noite. Não distinguia nada no escuro, mas na minha mente via muito claramente a carta inquietante e o rosto perturbado de quem a tinha enviado, que consegui criar em minha imaginação com uma pequena ajuda de série de TV *Dexter* e dos filmes da série *Jogos mortais*.

Depois de muito tempo, me afastei da janela.

Sem realmente saber o que estava fazendo, fui até minha mesa, sentei e abri o computador. De alguma forma, mesmo no fundo do meu medo, percebi que aquilo não poderia continuar. A falta de sono estava me esgotando, não comia e tinha problemas para me concentrar no trabalho. Com olhos sonolentos, "olhei para dentro" mais uma vez, tão atentamente quanto pude, para encontrar uma maneira de sair daquela encrenca. A introspecção não tinha rendido muito nos dias anteriores, mas concentrei minha mente no problema. *Que tal um guarda-costas?*, considerei. *Aquele especializado em proteger professores.*

Por mais ridículo que isso pareça para mim em retrospectiva, na época não parecia ridículo de forma alguma. Mas, enquanto preparava os dedos para começar a pesquisar no Google por guarda-costas especialmente treinados para defender acadêmicos assustados no Meio-Oeste dos Estados Unidos, alguma coisa aconteceu. Parei, me afastei do computador e disse a mim mesmo mentalmente: *Ethan, o que você está fazendo? Isso é loucura!*

Então aconteceu uma coisa estranha: dizer meu nome na minha cabeça, falar como se fosse com outra pessoa, me permitiu dar um passo para trás de imediato. De repente consegui me concentrar na minha situação de forma mais objetiva. A ideia de que um pequeno negócio de segurança para proteger professores com guarda-costas credenciados pelas forças especiais da Marinha existia, uma ideia que momentos atrás parecia razoável o suficiente para que eu pesquisasse por ela no Google, agora se tornava evidente pelo que realmente era: *loucura*.

Assim que percebi isso, outros pensamentos logo se seguiram. *Em que vai ajudar andar pela casa com um taco de beisebol? Você tem um sistema de alarme de última geração. Não aconteceu nada diferente desde que você recebeu a carta. Provavelmente foi só um trote. Então, com que está preocupado? Viva sua vida do jeito que costumava fazer. Pense na sua família, nos seus alunos e em suas pesquisas. Muita gente recebe ameaças que não significam nada. Você já administrou situações piores. Você pode lidar com isso.*

Ethan, eu disse a mim mesmo, *vai dormir*.

Quando esses pensamentos começaram a se espalhar como uma pomada numa ferida aberta, saí do escritório e fui para o quarto. Meus batimentos cardíacos desaceleraram e o peso das minhas emoções se alterou. Eu me senti mais leve. E, quando me deitei em silêncio ao lado da minha mulher, consegui fazer algo que desejava desesperadamente desde que recebi a carta: fechei os olhos sem cerrar os dentes, sem prender a porta do quarto com uma armadilha, sem agarrar meu taco de beisebol da liga infantil e dormi um sono profundo até de manhã.

Dizer meu nome me salvou. Não do meu perseguidor hostil, mas de mim mesmo.

Nos dias e semanas seguintes àquela noite, fiquei pensando no que tinha acontecido. Por um lado, havia a ironia incômoda de ser um psicólogo especializado em autocontrole e ter perdido o autocontrole, sem falar da racionalidade, ainda que por um curto período. Por outro lado, havia a intrigante observação científica de, alguma forma, ter recuperado o controle das minhas emoções e da minha conversa interna falando comigo mesmo como se fosse outra pessoa. Normalmente, falar na terceira pessoa está associado a excentricidade, narcisismo ou às vezes doença mental, mas não me identifiquei com nada disso. Para mim, ao menos naquele momento de crise, eu tinha conseguido de alguma forma subjugar minha voz interna... com a minha voz interna.

E tinha feito isso sem querer.

Existe uma descoberta clássica em psicologia chamada ilusão de frequência.[1] Descreve a experiência comum de, digamos, aprender uma nova palavra e de repente começar a vê-la em toda parte. Na verdade, a palavra – ou qualquer observação recente que tenha feito – sempre esteve presente no seu ambiente, com uma frequência normal; simplesmente seu cérebro não estava sensível a ela antes, e isso cria uma ilusão mental.

Algo semelhante me aconteceu depois de perceber que falei comigo mesmo durante um momento de tremendo estresse emocional. O software de reconhecimento de padrões na minha mente de pessoas falando consigo mesmas como se estivessem se comunicando com outra pessoa – usando o próprio nome e outros pronomes que não em primeira pessoa – foi ativado. Ao longo dos meses seguintes, e depois anos, observei exemplos cada vez mais dignos de nota em vários contextos diferentes.

A carta com as ameaças chegou na primavera de 2011, mas o primeiro caso que me chamou a atenção foi na verdade uma lembrança que tive do superastro do basquete LeBron James no verão de 2010. Como fã de longa data do Knicks, eu tinha a ingênua esperança de que ele viesse jogar em Nova York para resgatar minha equipe em dificuldades. Mas LeBron apareceu na ESPN[2] para anunciar que estava saindo do Cleveland Cavaliers, o time de sua cidade natal onde fez carreira desde o início, para jogar pelo Miami Heat – uma decisão difícil e de alto risco, como ele mesmo admitiu. "Uma coisa que não queria fazer era tomar uma decisão emocional", explicou LeBron ao comentarista da ESPN Michael Wilbon. Uma fração de segundo depois, logo após enunciar seu objetivo de evitar uma decisão emocional, deixou de falar sobre si mesmo na primeira pessoa para falar sobre si mesmo usando o próprio nome: "E queria fazer o que fosse melhor para LeBron James e o que LeBron James vai fazer para deixá-lo feliz."

Alguns anos depois, topei com um vídeo da futura vencedora do Prêmio Nobel da Paz, Malala Yousafzai, no *The Daily Show with Jon Stewart*.[3] No verão de 2012, Malala, com 14 anos, morava com a família no vale do Swat, no Paquistão, quando recebeu uma das notícias mais estressantes que se possa imaginar: o Talibã tinha jurado assassiná-la como punição por sua defesa aberta dos direitos das meninas a educação. Quando Stewart perguntou como ela reagiu ao saber da ameaça, Malala inadvertidamente revelou que usar seu nome para treinar a si mesma tinha sido a chave. Depois de começar a contar sua experiência na primeira pessoa, ao narrar a história e chegar ao momento mais temível, ela disse a Stewart: "Eu perguntei a mim mesma: 'O que você faria, Malala?' E respondi a mim mesma: 'Malala, é só pegar um sapato e bater nele'... Mas depois eu falei: 'Se você der uma sapatada num talibã, não haverá diferença nenhuma entre você e o talibã.'"

Os exemplos continuaram surgindo, não somente em contextos de cultura pop – como a atriz Jennifer Lawrence fazendo uma pausa durante uma entrevista emocionante com um repórter do *The New York Times* para dizer a si mesma: "Ok, controle-se, Jennifer"[4] – como também em instâncias históricas escondidas à vista de todos. Já havia um termo para definir falar de si mesmo na terceira pessoa, "ileísmo", muito usado para descrever o artifício literário utilizado por Júlio César na narrativa de sua obra sobre as Guerras Gálicas, das quais participou. Ele escreveu sobre si mesmo usando o próprio nome e o pronome "ele" em vez de "eu".[5] E também a autobiografia ganhadora do Prêmio Pulitzer do historiador americano Henry Adams, publicada em 1918, narrada inteiramente na terceira pessoa. Seguindo essa abordagem estilística, ele não intitulou o livro *My Education* [Minha educação] ou algo semelhante. Ele o chamou de *The Education of Henry Adams* [A educação de Henry Adams].[6]

Nessa época, eu já havia falado com meus alunos e colegas sobre minhas observações a respeito de pessoas que usam o próprio nome e pronomes de segunda e terceira pessoas para falar consigo mesmas. Como resultado, falamos sobre isso no laboratório e começamos a analisar a relação entre linguagem e distanciamento. Já tínhamos uma forte intuição de que usar o próprio nome – silenciosamente e na própria cabeça, isto é, não falar consigo mesmo em voz alta de forma a provocar expressões de surpresa ou perturbar as normas sociais – era uma ferramenta que ajudava as pessoas a controlar sua voz interna.

Claro que todas as "evidências" que encontrei eram anedóticas. Não eram prova científica de nada, embora parecessem indicar um padrão comum no comportamento humano. Há anos eu e meus colegas vínhamos estudando abordagens ao distanciamento, mas todas as técnicas que descobrimos exigiam tempo e concentração, ao passo que usar o próprio nome para falar mentalmente consigo mesmo em um momento de angústia não exigia nem uma coisa nem outra. Falar consigo mesmo como se fosse outra pessoa poderia ser uma forma de distanciamento?

Diga o seu nome

"Você está falando sério?", perguntou o participante do nosso experimento.

"Estou", respondeu a pesquisadora. "Venha comigo."

E o levou pelo corredor.

Assim como os outros voluntários que vieram ao nosso laboratório, ele só sabia que iria participar de um experimento sobre linguagem e emoção. O que nenhum dos voluntários sabia até chegarem para o estudo era o método que usaríamos, uma das técnicas mais eficazes[7] que os cientistas têm à disposição para estressar pessoas em um laboratório: nós pedimos que falassem em público diante de uma plateia sem dar tempo suficiente para se prepararem.[8] Ao fazer isso, esperávamos obter uma melhor compreensão de como referir-se silenciosamente a nós mesmos usando nosso nome (e outros pronomes que não em primeira pessoa, como "você") pode ajudar a controlar uma voz interna agitada por circunstâncias como as que havíamos criado.

Quando voluntários chegaram, dissemos que eles teriam que fazer um discurso de cinco minutos para um grupo sobre por que estavam qualificados para conseguir o emprego dos seus sonhos. Em seguida os acompanhamos a uma saleta sem janelas, onde eles tiveram cinco minutos para preparar suas apresentações sem poder fazer anotações. Nossa ideia era que, se pedíssemos a alguns participantes para usar uma linguagem que não fosse em primeira pessoa enquanto pensavam consigo mesmos antes de falar, eles teriam mais distanciamento mental, o que os ajudaria a controlar os nervos.

Nossa teoria não se baseava apenas na minha experiência ou nas palavras de Malala, de LeBron James e outros. Pesquisas anteriores já sugeriam que um alto uso de pronomes na primeira pessoa do singular, um fenômeno chamado "I-talk" (algo como "linguagem do eu"), é um forte indicador de emoção negativa.[9] Por exemplo, um grande estudo realizado em seis laboratórios em dois países com cerca de 5 mil participantes revelou uma forte ligação positiva entre o uso de pronomes na primeira pessoa do singular e emoções negativas. Outro estudo mostrou que é possível prever futuros surtos de depressão nos registros médicos de pessoas calculando a quantidade de pronomes na primeira pessoa do singular em suas postagens no Facebook.[10] Tudo isso quer dizer que falar consigo mesmo usando pronomes como "eu", "mim" e "meu" pode ser uma forma de imersão linguística.

Daí surgiu uma pergunta natural: o que aconteceria se você não só reduzisse a tendência de uma pessoa de pensar sobre si mesma na primeira pessoa como também fizesse com que ela se referisse a si mesma como se estivesse interagindo com outra pessoa? Nossa ideia era de que usar o próprio nome e ao mesmo tempo empregar a segunda e a terceira pessoas criava um distanciamento emocional por dar a sensação de estar falando com outra pessoa quando estivesse falando consigo mesmo. Por exemplo, em vez de pensar consigo mesmo *Por que explodi com meu colega de trabalho hoje?*, uma pessoa poderia pensar: *Por que Ethan explodiu com seu colega de trabalho hoje?*

Depois do período de cinco minutos para a preparação do discurso de cinco minutos, dividimos aleatoriamente os participantes em dois grupos: um no qual eles refletiram sobre sua ansiedade em relação ao que iriam falar usando o pronome da primeira pessoa "eu"; e outro em que faziam o mesmo, mas usando apenas pronomes que não fossem da primeira pessoa e o próprio nome. Concluídos os preparativos, nós os levamos pelo corredor para fazer suas apresentações na frente de um painel de juízes treinados para manter expressões faciais estoicas e uma grande e irritante câmera de vídeo posicionada bem na frente deles. Era hora do show.

Como previmos, os participantes que usaram uma conversa interna distanciada disseram que sentiram menos vergonha e constrangimento depois do discurso, em comparação com os participantes que tiveram uma conversa interna imersiva. Também ruminaram menos sobre seu desempenho depois. Quando descreveram suas experiências mentais, em vez de enfatizar o nervosismo ou a dificuldade da tarefa, disseram que suas vozes internas se concentraram no fato de que não havia reais consequências em jogo.

Também foi interessante que, conforme codificamos os vídeos e nos aprofundamos nos dados do experimento, não foram só as respostas emocionais dos participantes que se diferenciaram. Os juízes que assistiram aos vídeos dos discursos dos participantes indicaram que as pessoas do grupo das conversas internas distanciadas também desempenharam melhor sua tarefa.

Foi assim que identificamos uma nova ferramenta de distanciamento oculta na mente: a *conversa interna distanciada*.[11] Como nossos experimentos e outros demonstraram mais tarde, mudar do "eu" em primeira pessoa para o "você" da segunda pessoa ou "ele" ou "ela" da terceira pessoa é um mecanismo para obter distanciamento emocional.[12] A conversa interna distanciada, é, então, um recurso psicológico incrustado no tecido da linguagem humana. E agora sabemos que seus benefícios são diversos.

Outros experimentos[13] mostraram que a conversa interna distanciada faz com que as pessoas causem uma melhor primeira impressão, aprimora o desempenho em tarefas estressantes de solução de problemas e facilita o raciocínio com sabedoria, assim como as estratégias de distanciamento da mosca na parede. Também fomenta o pensamento racional. Por exemplo, no auge da crise do vírus Ebola de 2014, houve gente nos Estados Unidos que ficou apavorada com a possibilidade de contágio. Então realizamos um estudo pela internet com pessoas de todo o país.[14] Descobrimos que pessoas aflitas com esse vírus a quem pedimos que deixassem de usar "eu" para usar o próprio nome para refletir sobre o desenvolvimento do surto do Ebola no futuro encontraram mais razões baseadas em fatos para não se preocupar, resultando numa redução da ansiedade e da percepção de risco. Deixaram de considerar provável que contraíssem a doença, o que era um reflexo mais preciso da realidade e uma mordaça para suas vozes internas em pânico.

As pesquisas também mostram que o diálogo interno distanciado pode ter implicações que ajudam a lidar com um dos cenários mais causadores de falatório que já estudei: ter de optar entre o amor que sentimos por quem gostamos e nossos princípios morais.[15] Por exemplo, quando alguém que conhecemos comete um crime e somos forçados a decidir se devemos protegê-lo ou castigá-lo. Estudos mostram que, quando esse conflito interno ocorre, as pessoas se mostram consideravelmente mais propensas a proteger os que conhecem do que a denunciá-los, um fenômeno que muitas vezes define decisões no dia a dia – como o caso dos dirigentes universitários e funcionários de atletismo que não detiveram o agora condenado médico Larry Nassar por molestar crianças.

Se a razão que nos motiva a proteger certas pessoas é a de estarmos perto delas, então podemos acreditar que uma conversa interna distanciada reduziria essas tendências protetoras ao nos afastar de nós mesmos e dos relacionamentos que temos com outros. E foi exatamente o que constatamos em diversos experimentos. Em um dos estudos, por exemplo, meus alunos e eu pedimos a pessoas que imaginassem vividamente um ente querido cometendo um crime, como usar de maneira fraudulenta o cartão de crédito de outra pessoa, e depois serem abordadas por um policial perguntando se elas viram alguma coisa. Os participantes que refletiram sobre o que deveriam fazer usando o próprio nome (por exemplo, "*Quais fatos Maria está considerando ao tomar essa decisão?*") foram mais propensos a informar as ofensas graves ao policial.

Embora tenham demonstrado o poder do diálogo interno distanciado, essas descobertas não exploraram outra propriedade que o torna tão valioso: sua velocidade. Uma das coisas que considerei mais interessantes ao dizer meu nome para me acalmar foi o fato de ter sido incrivelmente fácil. Em geral leva tempo para regular nossas emoções. Pense no esforço envolvido em viajar mentalmente no tempo para imaginar como você vai se sentir diferente sobre algo no futuro, ou escrever um diário para refletir sobre seus pensamentos e sentimentos, ou até mesmo fechar os olhos para imaginar uma experiência do ponto de vista de uma mosca na parede. Todos são ferramentas de autodistanciamento validadas de maneira empírica. No entanto, devido ao esforço que exigem, nem sempre são fáceis de implementar no calor do momento.

Agora pense na minha experiência. Não fiz nada além de dizer o meu nome e isso colocou minha voz interna em uma trajetória totalmente diferente, quase como um trem mudando de direção ao passar por um desvio nos trilhos. A conversa interna distanciada foi rápida e drástica, diferente de tantas outras estratégias de regulação emocional. Como pode ser isso?

Em linguística, os dêiticos se referem a palavras, como pronomes pessoais (a exemplo de "eu" e "você"), cujo significado muda dependendo de quem está falando.[16] Por exemplo, se Dani perguntar "O relógio está com *você*?" e Maya responder "Não, eu já dei pra *você*", a pessoa de quem "você" trata muda. De início refere-se a Maya, mas em seguida a Dani. A maioria das crianças percebe que a linguagem funciona dessa maneira aos 2 anos e consegue mudar de perspectiva com uma rapidez incrível, em milissegundos.[17]

O conceito de dêiticos demonstra o grande poder de certas palavras de mudar nossa perspectiva. Nossa ideia era que a conversa interna distanciada pudesse operar por meio de um mecanismo semelhante, produzindo uma mudança automática de perspectiva com um mínimo de esforço. Usando essa lente na linguagem e no distanciamento psicológico, eu e o psicólogo Jason Moser, da Universidade de Michigan, projetamos um experimento para medir a rapidez com que funciona a conversa interna distanciada. Mas, em vez de ouvir suas vozes internas, nós observamos o cérebro das pessoas.

Em nosso experimento, pedimos aos participantes que pensassem sobre como se sentiam cada vez que viam uma fotografia perturbadora, usando linguagem imersiva (*O que estou sentindo?*) ou linguagem distanciada (*O que Jason está sentindo?*). Eles fizeram isso e monitoramos sua atividade elétrica cerebral com um aparelho de eletroencefalograma, que fornece uma maneira eficaz de determinar com que rapidez diferentes operações psicológicas atuam no cérebro.

Os resultados indicaram que os participantes exibiam muito menos atividade emocional no cérebro quando usavam linguagem distanciada para refletir sobre seus sentimentos ao ver as imagens perturbadoras. Mas a descoberta crucial foi quanto tempo levava para os participantes sentirem o alívio do distanciamento. Vimos mudanças na atividade emocional surgirem um segundo depois de as pessoas verem uma imagem negativa.

Um segundinho. Só isso.[18]

Igualmente empolgante para nós, não encontramos evidências de que esse tipo de conversa interna sobrecarregasse as funções executivas dos participantes.[19] Isso foi crucial, pois técnicas de distanciamento que exigem mais esforço criam uma espécie de contradição: quando em atividade, nosso falatório drena os recursos neurais de que precisamos para nos concentrar, ganhar distanciamento e recuperar o controle de nossa voz interna.[20] Mas a conversa interna distanciada contorna esse obstáculo. Apresenta muitos resultados com pouco esforço.

Se mudar as palavras que usamos para pensar sobre nós mesmos resulta num processo hiperveloz de distanciamento para lidar com o estresse, pela lógica isso também deve influenciar o fluxo de nossa voz interna. Acontece que a conversa interna distanciada pode fazer isso aproveitando uma capacidade de que todos dispomos: a de interpretar fontes de estresse como desafios, e não como ameaças. Para ver como isso funciona, vamos visitar um antigo vizinho.

Comece logo, Fred

Quem cresceu ou teve filhos nos Estados Unidos entre 1968 e 2001, deve se lembrar da voz suave de Fred Rogers em seu lendário programa de televisão de trinta minutos, *Mister Rogers' Neighborhood*. Mas por trás de sua personalidade serena, a voz interna de Rogers podia atormentá-lo, assim como o resto de nós. Sabemos disso porque seu crítico interno está em plena exibição em uma carta que escreveu para si mesmo em 1979, logo após retornar depois de uma pausa de três anos do seu programa:[21]

> Será que estou me enganando ao achar que sou capaz de escrever um roteiro de novo? Ou será que estou na verdade assobiando a mesma música? Se eu não começar, nunca vou saber a verdade. Por que eu não... confio em mim mesmo. Realmente, é disso que se trata... isso e não querer passar pela agonia da criação. DEPOIS DE TODOS ESSES ANOS CONTINUA TÃO RUIM COMO SEMPRE. Eu me pergunto se todo artista criativo passa pela tortura dos malditos tentando criar. Bem, é chegada a hora [*sic*] e AGORA eu preciso agir. COMECE LOGO, FRED. COMECE LOGO.

A carta surpreendentemente vulnerável de Rogers nos mostra o falatório em plena ação, a mudança de sua voz interna vista de um assento na primeira fila.

Os primeiros três quartos da carta apresentam um diálogo interno cheio de dúvidas, autocrítica e até desespero. Mas, à medida que a nota para si mesmo progride, podemos ver Rogers elaborando uma nova forma de pensar sobre sua situação. Seu crítico interno começa a esvanecer quando ele reconhece que precisa realizar a tarefa à sua frente, apesar de suas inseguranças – "é chegada a hora... e agora eu preciso agir". E ele age. Passa a usar uma linguagem distanciada – usando o próprio nome – para dizer a si mesmo que pode de fato escrever seu programa. E com essa mudança de perspectiva ele continuou trabalhando por mais 22 anos, iluminando a encruzilhada na estrada que todos encaramos ao enfrentar uma situação difícil.

Psicólogos já mostraram que, quando você põe pessoas em situações estressantes, uma das primeiras coisas que elas fazem é se perguntar (em geral inconscientemente) duas coisas: *O que é exigido de mim nessas circunstâncias? Será que eu tenho os recursos pessoais para lidar com o que me é exigido?* Se examinarmos a situação e concluirmos que não temos os recursos necessários para lidar com ela, isso nos leva a avaliar o estresse como uma *ameaça.* Se, por outro lado, avaliarmos a situação e determinarmos que temos o necessário para corresponder de forma adequada, nós a vemos como um *desafio.*[22] A maneira que escolhemos para falar sobre a situação para nós mesmos faz toda a diferença para nossa voz interna. E não é surpreendente que quanto mais construtivo for o enquadramento de um desafio, mais positivos serão os resultados. No caso de Rogers, ele reconheceu a dificuldade da criação, mas continuou criando.

Vários estudos[23] corroboram o que a carta de Rogers incorpora. Prestando um exame de matemática, agindo em situações de pressão ou lidando com os efeitos tóxicos dos estereótipos, as pessoas pensam, sentem e se saem melhor quando enquadram o fator estressante em questão como um desafio, e não como uma ameaça. Mas, como sugere o uso do próprio nome por Rogers para motivar a si mesmo, a conversa interna distanciada pode ser o principal empurrão que o leva a ver a situação como um desafio.

Pesquisas mostram que a conversa interna distanciada faz as pessoas considerarem situações estressantes em termos mais orientados para o desafio, levando-as a dar conselhos encorajadores a si mesmas, do tipo "Você consegue", em vez de dramatizar a situação. Em um estudo que meus colaboradores e eu realizamos, por exemplo, pedimos às pessoas que escrevessem sobre seus pensamentos e sentimentos mais profundos em relação a um evento estressante iminente, usando uma conversa interna imersiva ou distanciada. Dos participantes cujos relatos mostraram níveis mais elevados de pensamento orientado para o desafio, 75% eram do grupo que usou a conversa interna distanciada. Numa comparação contrastante, 67% dos participantes cujos relatos mostraram níveis mais elevados de pensamento orientado para a ameaça eram do grupo de conversas internas imersivas.[24]

Para ver como isso realmente funcionou dentro da cabeça dos participantes, considere o que um indivíduo do grupo imersivo escreveu: *Eu tenho medo de não conseguir um emprego se me sair mal numa entrevista. E sempre acabo fazendo algo errado. Nunca sei o que dizer e sempre fico muito nervoso. Acabo num ciclo retroalimentador de nervosismo, causando más entrevistas que causam mais nervosismo. Mesmo se conseguisse um emprego, acho que continuaria tendo medo de entrevistas.*

Enquanto isso, as vozes internas do grupo de linguagem distanciada foram notavelmente diferentes. Um dos participantes, ao refletir sobre a insegurança que sentia em relação a um encontro futuro, escreveu: *Aaron, você precisa relaxar. É um encontro; todo mundo fica nervoso. Por que você foi dizer aquilo? Agora vai ter que corrigir. Vamos lá, cara, fique firme. Você vai conseguir.*

Mas não é preciso escrutinar o conteúdo dos pensamentos das pessoas para ver como a linguagem influencia nossa tendência de ver as experiências como desafios ou ameaças: isso também pode ser visto no corpo das pessoas.[25] As posturas psicológicas diante de um desafio ou de uma ameaça têm assinaturas biológicas específicas. Quando alguém se sente ameaçado, o coração começa a bombear sangue mais rapidamente para o corpo. O mesmo acontece diante de um desafio. Uma das diferenças fundamentais entre os dois estados é como o emaranhado de artérias e veias que transportam o sangue pelo corpo responde. Quando alguém se sente ameaçado, a vasculatura se contrai, deixando menos espaço para o sangue fluir, o que com o tempo pode levar ao rompimento de vasos sanguíneos e a ataques cardíacos. Em comparação, quando alguém se sente desafiado, a vasculatura relaxa, deixando o sangue fluir facilmente pelo corpo todo.

Lindsey Streamer, Mark Seery e seus colegas da Universidade de Buffalo queriam saber se o diálogo interno distanciado poderia provocar mudanças como essa no funcionamento do sistema cardiovascular das pessoas.[26] Em termos mais simples, será que a conversa interna distanciada poderia persuadir não só a mente, mas também o corpo, a ver uma situação como um desafio em vez de como uma ameaça? E realmente os participantes orientados a usar o próprio nome para refletir sobre o estresse antes de fazer um discurso em público mostraram a resposta cardiovascular típica de alguém diante de um desafio. Os participantes no grupo da linguagem imersiva tiveram uma resposta biológica absolutamente característica de quem está sendo ameaçado.

Se a conversa interna distanciada pode ajudar adultos, é natural imaginar que também pode beneficiar as crianças. Uma das grandes tarefas de ser pai é ensinar os filhos a perseverar em situações difíceis porém importantes, como encontrar maneiras de ajudá-los nos estudos. Com essa pergunta em mente, as psicólogas Stephanie Carlson e Rachel White descobriram o que é conhecido como Efeito Batman.[27]

Em um experimento, elas fizeram um grupo de crianças fingir que eram super-heróis enquanto realizavam uma tarefa chata desenvolvida para simular a experiência de precisar concluir um tedioso dever de casa. Elas então pediram às crianças que assumissem o papel do personagem e perguntassem a si mesmas como estavam desempenhando a tarefa usando o nome do personagem. Por exemplo, uma menina no estudo que fingia ser Dora, a Aventureira foi instruída a se perguntar: "Dora está dando seu melhor?" Stephanie e Rachel constataram que as crianças que fizeram isso perseveraram por mais tempo que as que refletiram sobre a experiência da maneira habitual, usando "eu". (Crianças de um terceiro grupo que usaram o próprio nome também superaram o grupo "Eu".)

Ampliando esse fenômeno a circunstâncias ainda mais estressantes, outra pesquisa com crianças relacionou a conversa interna distanciada com uma reação mais saudável à perda de um dos pais.[28] Por exemplo, uma das crianças disse: "Não importa o que aconteça, o pai os amava e eles têm que pensar nas coisas boas que aconteceram... eles podem manter as boas lembranças e simplesmente deixar as lembranças ruins no passado." Por outro lado, crianças que empregaram mais uma linguagem imersiva tiveram maior incidência de sintomas de estresse pós-traumático e um negacionismo menos saudável. Uma delas disse, de forma comovente: "Eu continuo vendo... como ele ficou no final. Gostaria que ele não sentisse tanta dor. Fico triste por ele ter morrido desse jeito."

Todas essas descobertas ressaltam como uma pequena mudança nas palavras que usamos para nos referir a nós mesmos numa introspecção pode influenciar nossa capacidade de controlar o falatório em uma variedade de domínios. Dados os benefícios associados a essa ferramenta, vale a pena perguntar se existem outros tipos de conversas internas distanciadas igualmente eficazes para ajudar as pessoas a controlar suas emoções. Meus colegas e eu descobriríamos que existem, mas que seu uso é tão sutil, infiltrado e integrado que mal se pode notá-los.

O "você" universal

Apesar de o falatório que vivi depois de receber a carta ter parecido insuportável até eu dizer meu nome para mim mesmo, houve um momento que causou certo alívio, ainda que apenas temporariamente: quando o policial com quem falei me disse que esse tipo de ameaça era uma ocorrência comum para pessoas com uma carreira voltada para o público e quase sempre não resultava em nenhum incidente. Mergulhado como estava em pensar em uma ameaça – definitivamente eu *não* vi a carta como um desafio empolgante –, essa informação não eliminou meus temores. Mas foi um lampejo de esperança.

Pois me fez sentir menos sozinho.

Há um forte consolo psicológico que vem da *normalização* das experiências,[29] de saber que você não está passando por uma experiência exclusiva, mas por algo que todos já viveram – que, por mais desagradável que seja, faz parte da vida. Quando estamos vivendo um luto, passando por turbulências nos relacionamentos, contratempos profissionais, conflitos com os pais ou outras adversidades, muitas vezes nos sentimos terrivelmente sozinhos, de tão fixados que estamos nos nossos problemas. Mas, quando conversamos com outras pessoas e constatamos que elas enfrentaram desafios semelhantes, percebemos que, por mais difícil que seja a experiência, ela também acontece com os outros, o que nos dá uma sensação imediata de perspectiva. *Se outras pessoas passaram por essas dificuldades, eu também posso passar,* nosso diálogo interno raciocina conosco. O que parecia extraordinário passa a ser um fato comum. E isso é um alívio.

Mas e se, em vez de normalizar nossas experiências ouvindo outras pessoas falarem sobre como superaram as adversidades ou se beneficiaram da experiência, nós obtivéssemos o mesmo efeito com algum tipo de conversa interna distanciada? O que quero dizer é: poderia haver algo embutido na própria estrutura da linguagem que nos ajude a pensar sobre nossas experiências pessoais em termos mais universais?

Em maio de 2015, David Goldberg, empresário do vale do Silício e marido da CEO do Facebook, Sheryl Sandberg, sofreu um acidente numa esteira durante umas férias no México e morreu tragicamente. Sandberg ficou arrasada. Sua vida com Goldberg havia desaparecido, como se o futuro tivesse sido arrancado de suas mãos. Depois da morte do marido, Sheryl procurou maneiras de resistir à forte maré de pesar que ameaçava arrastá-la. Começou a escrever um diário sobre o que estava passando – uma escolha compreensível porque, como sabemos, se expressar por escrito é uma forma eficaz de conseguir um distanciamento emocional mais saudável.[30] Mas com as palavras que usou em pelo menos uma anotação – que ela decidiu publicar no Facebook –, ela também fez algo curioso. Preste atenção nas palavras exatas da postagem de Sandberg (itálicos do autor):[31]

Acho que, quando acontece uma tragédia, ela apresenta uma escolha. *Você* pode ceder ao vazio, à ausência que enche o *seu* coração, *seus* pulmões, restringe *sua* capacidade de pensar ou até de respirar. Ou *você* pode tentar encontrar um sentido.

À primeira vista, o uso repetitivo da terceira pessoa "você" e "seu" pode parecer estranho. Ela está escrevendo sobre uma das experiências pessoais mais dolorosas imagináveis, sem usar a palavra mais natural para relatar a própria experiência: "eu". Ela prefere apelar para a palavra "você", mas não no sentido que discutimos anteriormente, de se dirigir a si mesma como se falasse com outra pessoa. Sheryl usa a palavra para evocar a natureza universal de sua provação. É como se ela dissesse: "*Qualquer um* pode ceder ao vazio, à ausência que enche o coração de *todos*, os pulmões de *todos,* restringe a capacidade de *todos* de pensar ou até de respirar. Ou *qualquer um* pode tentar encontrar um sentido."

Sheryl não está sozinha ao usar a palavra "você" dessa forma. Se olharmos ao redor, podemos encontrar usos semelhantes – na fala cotidiana, em programas de entrevistas e no rádio, em letras de músicas. Na verdade, quando se percebe esse fenômeno, é difícil ler entrevistas com atletas falando sobre um jogo ruim ou ouvir políticos dando entrevistas falando sobre dificuldades sem notar o uso do "você" dessa forma, para enquadrar sua experiência de forma mais abrangente.

A questão, claro, é o porquê de fazermos isso. Por que usamos uma palavra normalmente usada para nos referir a outra pessoa – você – para falar sobre nossas experiências profundamente emocionais? Minhas colegas Susan Gelman e Ariana Orvell e eu chamamos esse uso específico de "'você' genérico", ou "'você' universal".[32] E descobrimos que é outro tipo de tática linguística que promove o distanciamento psicológico.[33]

A primeira coisa que sabemos sobre o "você" universal é que as pessoas o usam para falar sobre normas que se aplicam a todos, não sobre preferências pessoais. Por exemplo, se uma criança mostra um lápis e pergunta "O que você faz com isso?", um adulto normalmente responde: "Você escreve" (não "Eu escrevo"). Em comparação, se a mesma criança mostrar um lápis e perguntar "O que você normalmente faz com isso?", um adulto responde na primeira pessoa: "Eu escrevo." Em outras palavras, o uso genérico da palavra "você" nos permite falar sobre como as coisas funcionam de maneira geral, não de nossas tendências idiossincráticas específicas.

Também sabemos que as pessoas usam o "você" universal para dar sentido a experiências negativas, pensar sobre eventos difíceis não pessoalmente exclusivos, mas característicos da vida em geral, como Sandberg fez em seu post no Facebook. Por exemplo, em um estudo, nós pedimos às pessoas que revivessem uma experiência negativa ou que pensassem nas lições que poderiam aprender com o evento. A probabilidade de os participantes usarem o "você" universal quando falavam sobre aprender com a experiência negativa foi quase cinco vezes maior do que quando apenas recapitulavam o que aconteceu. O uso do "você" ligava a adversidade pessoal de maneira mais geral ao modo como o mundo funciona. Os participantes que tiveram que falar sobre o que aprenderam com a experiência fizeram afirmações como "Quando você dá um passo para trás e fica mais calmo, às vezes vê as coisas de uma perspectiva diferente" ou "Você pode realmente aprender muito com pessoas que veem as coisas de forma diferente de você".[34]

Esse tipo de normalização nos fornece a perspectiva que nos falta quando estamos perdidos no falatório. Nos ajuda a extrair lições de nossas experiências que contribuem para nos sentirmos melhor. Em outras palavras, nosso uso do "você" universal na fala não é arbitrário. É mais um aparato de gerenciamento de emoções que a linguagem humana nos oferece.

• • •

Então o que aconteceu depois que falei comigo mesmo e fui dormir?

Na manhã seguinte, acordei e a vida voltou ao normal. No café da manhã, conversei com minha mulher sobre seus planos para o dia, brinquei com minha filha antes de sair para o trabalho e voltei a me dedicar a todos os alunos e às pesquisas que vinha negligenciando nos últimos três dias. A conversa interna distanciada transformou minha capacidade de administrar o meu falatório. E como se tivesse percebido que não podia mais me aborrecer, meu torturador, a pessoa que escreveu a tal carta, nunca mais me importunou. No entanto, um pensamento preocupante continuou me incomodando.

Eu tinha falado com várias pessoas depois de receber a carta, quando estava no auge das minhas ruminações. Procurei ajuda. E, sem exceção, as conversas que tive com amigos, familiares e colegas me fizeram me sentir acolhido. Mas não me fizeram sentir melhor quanto à situação. Não acalmaram minha voz interna da mesma forma que a conversa interna distanciada.

O motivo dessa discrepância nos leva a mais um dos grandes mistérios da mente humana. Assim como a voz interna, os outros podem ser um grande trunfo, mas também podem ser um perigo, com mais frequência do que imaginamos.

capítulo cinco

O poder e o perigo que vêm dos outros

A tragédia irrompeu de repente e sem aviso prévio no campus da Universidade do Norte do Illinois numa quinta-feira de fevereiro de 2008, quando um jovem de 27 anos com um histórico de doença mental chamado Steven Kazmierczak escancarou a porta da sala durante uma aula de geologia. Armado com uma espingarda e três pistolas, ele subiu no tablado onde o professor estava falando. Os 119 alunos na classe viram com confusão, depois descrença, depois terror, quando o convidado inesperado disparou a espingarda contra eles e logo depois no professor. Em seguida voltou a abrir fogo contra eles.[1] Depois de disparar mais de cinquenta projéteis de armas diferentes, concluiu seu ato de violência virando uma delas contra si mesmo e tirando a própria vida. Minutos depois, a polícia chegou à cena macabra. Vinte e uma pessoas foram feridas e cinco morreram, sem contar Kazmierczak. A universidade e a pequena cidade de DeKalb, onde está localizada, ficaram consternadas.

Depois da tragédia, a comunidade realizou vigílias públicas, mas muitos alunos optaram por expressar seus sentimentos on-line, com postagens no Facebook e em sites memoriais e usando programas de mensagens de chat para falar sobre o que havia acontecido.

Duzentos e cinquenta quilômetros ao sul de DeKalb, na Universidade de Illinois Urbana-Champaign, os psicólogos Amanda Vicary e R. Chris Fraley[2] viram a tragédia como uma oportunidade dolorosa, porém valiosa, para dar seguimento a uma linha de pesquisa que já vinham desenvolvendo para entender melhor o luto e emoções em comum em tempo real. Na ciência, às vezes precisamos olhar para as experiências mais dolorosas pelas quais as pessoas passam para aprender algo valioso sobre como ajudá-las a administrar esses eventos. Fazer isso requer sensibilidade e compaixão, bem como comprometimento com o método científico e seu potencial para produzir percepções que contribuam para o bem maior. Essa foi a tarefa a que Vicary e Fraley se propuseram depois do tiroteio em DeKalb.

Eles começaram mandando um e-mail a um grande número de alunos da Universidade do Norte do Illinois convidando-os a participar de um estudo para acompanhar como eles estavam lidando com a situação. Dez meses antes, um homem armado havia feito um ataque ainda mais destrutivo na Virginia Tech, matando 32 pessoas e deixando para trás uma comunidade devastada pela dor. Vicary e Fraley também tinham entrado em contato com um grupo de alunos da Virginia Tech logo após o ataque. Agora tinham duas amostras para analisar a fim de obter uma imagem de como os sobreviventes se recuperaram da confusão de emoções resultante.

Duas semanas depois do tiroteio, cerca de três quartos dos alunos das duas amostras apresentaram sintomas de depressão ou estresse pós-traumático. Isso era de esperar. A maioria estava lutando com a experiência mais perturbadora de sua vida. Tragédias como as que os alunos passaram na Illinois e na Virginia desafiam a visão de mundo de uma pessoa. Quando isso acontece, algumas evitam pensar em suas lembranças traumáticas para amenizar a dor. Mas outras tentam dar sentido a seus sentimentos, e a principal maneira de fazer isso é se comunicando com os outros, que foi o que os alunos fizeram. Oitenta e nove por cento deles se juntaram a um grupo no Facebook para conversar e ler sobre o que aconteceu. Entrementes, 78% conversaram on-line sobre o tema e 74% enviaram mensagens sobre ele pelo celular.

A maioria dos alunos considerou essa forma de amenizar o falatório reconfortante. Eles podiam expressar seus pensamentos e sentimentos para outros que estavam lidando com uma experiência semelhante, o que pode ser uma forma valiosa de normalização. Como disse um aluno da Virginia Tech: "Quando tenho uma crise de solidão, posso acessar o Facebook ou mandar uma mensagem para alguém para me sentir um pouco mais conectado com as pessoas."[3]

Nada disso foi particularmente surpreendente. Como já sabemos, as pessoas se sentem naturalmente dispostas a compartilhar seus pensamentos com outras quando estão lutando contra o falatório, e as redes sociais e demais formas de conectividade virtual fornecem caminhos convenientes para isso. O surpreendente foi o que Vicary e Fraley descobriram quando o estudo terminou, dois meses após o tiroteio.

Embora os alunos da Virginia Tech e da Universidade do Norte do Illinois achassem que expressar suas emoções aos outros os fazia se sentir melhor, o grau em que compartilharam suas emoções na verdade não influenciou a depressão e os sintomas de estresse pós-traumático.

Todas aquelas emoções, relatos, comunicações e lembranças... não tinham sido benéficas.

De Aristóteles a Freud

No mesmo ano em que ocorreu o massacre da Universidade do Norte do Illinois, foi publicado um estudo relacionado que analisou a resiliência emocional de uma amostragem representativa em termos nacionais de pessoas que viviam nos Estados Unidos depois dos ataques do 11 de Setembro.[4] Os pesquisadores analisaram dentre mais de 2 mil pessoas de todo o país aquelas que optaram ou não por expressar o que sentiam quanto ao 11 de Setembro durante dez dias após a queda das Torres Gêmeas. Em seguida, monitoraram a saúde física e mental dos participantes nos dois anos seguintes. O território do comportamento humano que analisaram era complicado, mas sua pergunta era simples: compartilhar emoções afeta como nos sentimos ao longo do tempo?

A conclusão a que chegaram foi bem coerente com o que Vicary e Fraley descobriram.

As pessoas que compartilharam seus pensamentos e sentimentos sobre o 11 de Setembro logo depois do ocorrido não se sentiram melhor. Na verdade, em geral se sentiram *pior* que os participantes do estudo que não se abriram sobre como se sentiram. Foram mais atormentadas pelo falatório interno e apresentaram maior tendência à negação. Ademais, entre os que optaram por expressar seus sentimentos, os que mais compartilharam tiveram os níveis mais elevados de angústia genérica e pior estado de saúde física.

Mais uma vez, compartilhar emoções não ajudou. Nesse caso, feriu.

Claro, tanto o tiroteio na faculdade quanto o 11 de Setembro foram raros atos de violência extraordinária, o que pode dar margem a pensar que compartilhar emoções com os outros só é inútil depois de grandes tragédias. O que nos traz de volta ao trabalho do psicólogo belga Bernard Rimé.

Lembre-se do padrão fundamental do comportamento humano que Rimé descobriu. Quando estão aflitas, as pessoas ficam muito motivadas a compartilhar seus sentimentos; as emoções agem como combustível de jato que nos impele a falar com os outros sobre os pensamentos e sentimentos que passam pela nossa cabeça. Porém, ao lado dessa descoberta, Rimé constatou algo igualmente importante – e com certeza mais surpreendente –, que confirma que esses estudos sobre as consequências emocionais depois de grandes tragédias não são casos isolados.

Em diversos estudos, Rimé descobriu que conversar com outros sobre nossas experiências negativas não ajuda a nos recuperarmos de maneira significativa. Claro, compartilhar nossas emoções com os outros nos faz sentir mais próximos e mais apoiados pelas pessoas com quem nos abrimos. Mas as formas como a maioria de nós costuma falar e ouvir uns aos outros pouco contribuem para reduzir nosso falatório. Com muita frequência, até exacerbam.

A descoberta de Rimé, bem como muitas outras, colide drasticamente com a sabedoria convencional. *Falar faz você se sentir melhor,* costuma dizer a cultura popular. Muitos livros de autoajuda nos dizem isso, assim como muita gente ao nosso redor. Ouvimos dizer que desabafar nossas emoções é saudável e que apoiar os outros é indispensável. Não é tão simples, embora haja razões para que possa parecer.

A ideia de que falar sobre emoções negativas com os outros é bom para nós não é um conceito recente. Faz parte da cultura ocidental há mais de 2 mil anos. Um dos primeiros proponentes dessa abordagem foi Aristóteles,[5] que sugeriu que as pessoas precisam purgar suas emoções depois de presenciar um evento trágico, um processo que chamou de catarse. Mas essa prática só ganhou força de forma mais ampla dois milênios depois. Quando a psicologia moderna começou a se expandir na Europa no fim dos anos 1890, Sigmund Freud e seu mentor Josef Breuer[6] retomaram o raciocínio de Aristóteles e argumentaram que o caminho para uma mente sã exigia que as pessoas expusessem à luz a dor sombria de sua vida interna. Você pode pensar nisso como um modelo hidráulico da emoção: sentimentos fortes precisam ser liberados como o vapor que sai de uma chaleira fervendo.

Embora essas armadilhas culturais nos estimulem desde tenra idade a falar com os outros sobre nossos sentimentos, o impulso subjacente de expressar nossa voz interna na verdade é implantado na nossa mente em um estágio ainda anterior de nosso desenvolvimento[7] – quando ainda somos bebês babões e chorões.

Enquanto somos recém-nascidos, incapazes de cuidar de nós mesmos ou de gerenciar nossas emoções, sinalizamos nossa angústia aos nossos cuidadores, geralmente chorando como pequenos banshees (ou ao menos era o que minhas filhas faziam). Quando nossas necessidades são atendidas e não nos sentimos mais ameaçados, nossos níveis de excitação fisiológica voltam ao normal. O envolvimento nesse processo estabelece um apego ao cuidador, que muitas vezes fala com o bebê antes mesmo que ele possa entender as palavras.

Com o tempo, o desenvolvimento acelerado do nosso cérebro adquire linguagem e começa a assimilar o que nossos cuidadores nos dizem sobre causa e efeito, como remediar nossos problemas e lidar com nossas emoções. Isso não apenas nos fornece informações úteis para gerenciar como nos sentimos, mas também nos fornece as ferramentas de narrativa de que precisamos para falar aos outros sobre nossas experiências. Essa é uma explicação de por que a comunicação está tão entrelaçada com o falatório e por que o falatório está tão relacionado à busca por outras pessoas.

Felizmente, existe uma razão pela qual o apoio que recebemos de outros tantas vezes sai pela culatra e há uma forma de contornar esse fenômeno. Os outros podem ser uma ferramenta valiosa para ajudar a subjugar nosso falatório, e também podemos ajudar os outros a fazer o mesmo. Mas, como acontece com qualquer ferramenta, para nos beneficiarmos dela é preciso saber como usá-la adequadamente, e, no caso de dar e receber apoio, esse conhecimento começa com a compreensão de duas necessidades básicas que todos os humanos têm.

A armadilha da corruminação

Quando estamos desalentados e nos sentimos vulneráveis, magoados ou aflitos, queremos desabafar nossas emoções e nos sentir consolados, reconhecidos e compreendidos. Isso propicia uma sensação imediata de segurança e conexão e alimenta a necessidade básica que temos de fazer parte de algo maior.[8] Como resultado, a primeira coisa que geralmente buscamos nos outros quando nossa voz é tomada pela negatividade é a satisfação de nossas necessidades *emocionais*.

Normalmente pensamos que lutar ou fugir são as principais reações defensivas a que os seres humanos recorrem quando enfrentam alguma ameaça. Quando estamos sob estresse, fugimos ou fazemos barricadas para a batalha iminente. Embora essa reação caracterize uma tendência humana generalizada, pesquisadores documentaram outro sistema de resposta ao estresse em que muitas pessoas se envolvem quando estão sob ameaça: uma resposta de "cuidar e fazer amizade".[9] Elas procuram outras pessoas para obter apoio e cuidado.[10]

De uma perspectiva evolutiva, o valor dessa abordagem vem do fato de que duas pessoas têm mais probabilidade de afastar um predador do que uma; aliar-se em momentos de necessidade pode ser uma vantagem concreta. Corroborando essa ideia, as pesquisas indicam que se associar a outras pessoas durante o estresse nos proporciona uma sensação de segurança e conexão. Desencadeia uma cascata de reações bioquímicas de atenuação do estresse – envolvendo opioides produzidos naturalmente, além de oxitocina, o chamado hormônio do carinho – e alimenta a necessidade humana básica de se agrupar. E, claro, a principal maneira de fazer isso é conversando. Por meio da escuta ativa e da demonstração de empatia, aqueles que nos aconselham sobre o nosso falatório podem atender a essas necessidades. Satisfazê-las pode ser uma sensação boa no momento, proporcionando uma espécie de alívio. Mas essa é só metade da equação. Isso porque também precisamos satisfazer nossas necessidades *cognitivas*.

Quando estamos lidando com o falatório, nos deparamos com um enigma que exige solução. Inibidos pelo desvario da nossa voz interna, às vezes precisamos de ajuda externa para resolver o problema em questão, enxergar o quadro geral e decidir o curso de ação mais construtivo. Nem tudo isso pode ser tratado apenas pela presença solidária e os ouvidos atentos de alguém que nos apoie. Muitas vezes precisamos de outras pessoas para nos ajudar a nos distanciar, a normalizar e a mudar a maneira como pensamos sobre as experiências que estamos vivendo. Ao fazer isso, permitimos que nossas emoções esfriem, tirando-nos da ruminação sem saída e nos ajudando a redirecionar nosso fluxo verbal.

No entanto, é por isso que falar sobre emoções tantas vezes sai pela culatra, apesar de seu enorme potencial de ajuda. Quando nossa mente está atolada no falatório, exibimos uma forte tendência de satisfazer nossas necessidades emocionais em detrimento das cognitivas.[11] Em outras palavras, quando estamos desalentados, tendemos a nos concentrar demais na busca de empatia em vez de encontrar soluções práticas.

Esse dilema é composto por um problema correspondente no lado que nos ajuda da equação: as pessoas de quem buscamos ajuda respondem na mesma moeda, priorizando nossas necessidades emocionais em detrimento das cognitivas. Veem nossa dor e acima de tudo se esforçam para nos proporcionar amor e reconhecimento. É uma reação natural, um gesto de afeto e às vezes até útil a curto prazo. Mas, quando sinalizamos nosso desejo de mais assistência cognitiva, as pesquisas demonstram que nossos interlocutores tendem a não captar esses sinais.[12] Uma série de experimentos demonstrou que, mesmo quando são explicitamente solicitados a fornecer conselhos para atender às necessidades cognitivas, os provedores de suporte continuam acreditando que é mais importante atender às necessidades emocionais do outro. E acontece que nossas tentativas de satisfazer essas necessidades emocionais muitas vezes acabam saindo pela culatra de tal forma que fazem nossos amigos se sentirem pior.

Veja como falar pode dar errado.

Para demonstrar que estão lá para proporcionar apoio emocional, em geral as pessoas são motivadas a descobrir exatamente o que aconteceu para nos incomodar – quem, o quê, quando, onde, porquê do problema. Pedem para dizer o que sentimos e contar em detalhes o que aconteceu. E, embora possam acenar a cabeça e comunicar empatia ao contarmos o que aconteceu, isso costuma nos fazer reviver os próprios sentimentos e experiências que nos levaram a buscar apoio, um fenômeno chamado corruminação.[13]

• • •

A corruminação é o ponto crucial em que o apoio se transforma sutilmente em incitação. Os que se preocupam conosco nos levam a falar mais sobre nossa experiência negativa, o que nos deixa mais aflitos, o que os leva a fazer ainda mais perguntas. Segue-se um círculo vicioso pelo qual é muito fácil ser tragado, principalmente por ser movido por boas intenções.

Na prática, a corruminação equivale a jogar mais lenha na fogueira de uma voz interna já flamejante. A repetição da narrativa revive o sentimento aflitivo e nos mantém remoendo. Embora nos sintamos mais conectados e apoiados por quem nos envolve dessa forma, isso não nos ajuda a gerar um plano ou reformular criativamente o problema em questão. Em vez disso, alimenta nossas emoções negativas e a resposta biológica à ameaça.

Essa dinâmica de corruminação prejudicial surge de relacionamentos saudáveis e solidários, pois a mecânica emocional da nossa voz interna não funciona como um sistema hidráulico, como Freud, Aristóteles e a sabedoria convencional sugerem. Liberar vapor não alivia o acúmulo da pressão interna. Quando se trata da nossa voz interna, o jogo de dominó fornece uma metáfora mais adequada.[14]

Quando focamos um aspecto negativo da nossa experiência, isso tende a ativar um pensamento negativo relacionado, que ativa outro pensamento negativo, e mais outro, e assim por diante. Esses dominós continuam a se derrubar num jogo em que há um suprimento potencialmente infinito de peças. Isso acontece porque nossas memórias de experiências emocionais são regidas por princípios de *associacionismo*, o que significa que conceitos relacionados estão ligados na nossa mente.

Para ilustrar essa ideia, faça uma pausa para imaginar um gato. Ao ler a palavra "gato", provavelmente você pensou num gato que viu ou conheceu, ou realmente o visualizou na sua mente. Mas você também pensou e conjurou sons de ronronar, imagens de pelos macios e, se você for alérgico como eu, ataques de espirros. Agora aplique esse dominó neural associativo ao ato de falar sobre nossas emoções. Isso significa que, quando nossos amigos e entes queridos nos pedem para relatar nossos problemas em detalhes, os pensamentos relacionados a convicções e experiências negativas também vêm à mente, o que reativa quão mal nos sentimos.

A natureza associativa da memória, combinada com nossa tendência a priorizar as necessidades emocionais em detrimento das cognitivas quando estamos desalentados, é a razão por que muitas vezes falar não tranquiliza nossos diálogos internos problemáticos. Essa é uma explicação possível para o motivo pelo qual os alunos da Universidade do Norte do Illinois e da Virginia Tech que compartilharam ativamente seus pensamentos e sentimentos sobre os tiroteios com outras pessoas não obtiveram nenhum benefício mensurável de longo prazo com isso. E é por isso que os participantes da pesquisa nacional após o 11 de Setembro que compartilharam seus sentimentos podem ter sofrido de mais doenças físicas e mentais. Tudo isso, é claro, levanta uma questão: qual é a solução para que a corruminação não nos faça sentir pior?

Kirk ou Spock?

A referência mais comum nos círculos de psicologia à tensão entre emoção e cognição – entre o que sentimos e o que pensamos – são os personagens do capitão Kirk e do comandante Spock da série *Jornada nas Estrelas*. Kirk é todo coração, um homem de emoções intensas e envolventes. Ele é o fogo. Em comparação, Spock, o adorável meio humano e meio vulcano de orelhas pontudas, é todo cabeça, um solucionador de problemas cerebral isento das distrações dos sentimentos. Ele é o gelo.

A chave para evitar ruminações é combinar os dois membros da tripulação da nave estelar. Para apoiar os outros, precisamos oferecer o encorajamento de Kirk e o intelecto de Spock.

As trocas verbais mais eficazes são as que integram as necessidades sociais e cognitivas da pessoa em busca de apoio.[15] Idealmente, o interlocutor reconhece os sentimentos e reflexões da pessoa, mas depois a ajuda a colocar a situação em perspectiva. A vantagem de tal abordagem é conseguir fazer quem está aflito se sentir reconhecido e conectado, mas também apresentar conselhos gerais que só alguém que não estiver perdido no falatório terá condições de fornecer. Na verdade, a última tarefa é crucial para ajudar alguém a controlar sua voz interna de forma a amenizar o falatório com o passar do tempo.

O tempo, sem dúvida, desempenha um papel importante na nossa capacidade de oferecer um apoio que amplie a perspectiva das pessoas na nossa vida. Estudos mostram consistentemente que as pessoas preferem não reestruturar cognitivamente seus sentimentos no auge de uma experiência emocional,[16] quando as emoções estão exaltadas; elas preferem se envolver em formas de intervenção mais intelectuais depois. E aqui entra em jogo uma arte específica para conversar com os outros, pois é preciso andar na corda bamba para fazer com que alguém desalentado deixe de se concentrar em suas necessidades emocionais para adotar medidas cognitivas mais práticas.

Acontece que uma versão desse ato de equilíbrio foi codificada décadas atrás pela Equipe de Negociações de Reféns do Departamento de Polícia de Nova York, criada no início dos anos 1970 após uma série de situações desastrosas não só na cidade de Nova York, mas também em todo o mundo. Para citar apenas algumas: o motim na prisão de Attica em 1971, o massacre das Olimpíadas de Munique em 1972 e o assalto a um banco no Brooklyn em 1972, retratado no filme *Um dia de cão*. Um policial e psicólogo clínico chamado Harvey Schlossberg foi encarregado de criar o manual para a nova unidade, cujo lema não oficial se tornou "Fale comigo". Além de priorizar a necessidade de engajamento compassivo mais que o uso da força, Schlossberg enfatizava a paciência. Assim que os sequestradores percebessem que não corriam perigo imediato, sua resposta autônoma à ameaça seria (presumivelmente) acalmada.[17] Isso reduziria o frenesi negativo de sua voz interna, permitindo ao negociador conduzir o diálogo na direção da solução do impasse.

Assim que a Equipe de Negociações de Reféns começou a operar, a cidade viu uma redução imediata nos maus resultados em situações com reféns. Essa descoberta estimulou agências da lei do mundo todo a seguir o exemplo, inclusive o FBI. A equipe desenvolveu sua abordagem, chamada *Behavioral Change Stairway Model* (Modelo de Escada de Mudança Comportamental), uma progressão de etapas para orientar os negociadores: Escuta Ativa → Empatia → Entendimento → Influência → Mudança Comportamental. Em essência, é um roteiro para satisfazer as necessidades socioemocionais das pessoas de tal sorte que as leve em direção a uma solução baseada em suas capacidades cognitivas. Embora os negociadores de agências da lei estejam tentando neutralizar situações perigosas e prender criminosos, seu trabalho apresenta algumas semelhanças com o de orientar alguém de quem gostamos.

Apesar de todas essas estratégias se aplicarem à maneira de ajudar pessoas na sua vida a administrar suas vozes internas, também podem ajudá-lo a fazer escolhas melhores ao selecionar as pessoas com quem procura apoio emocional. Depois que fazem você se sentir reconhecido e compreendido, elas o orientam a refletir sobre soluções práticas? Ou extraem demasiados detalhes e revivem a experiência perturbadora, repetindo coisas como "Ele é um idiota! Não consigo acreditar que tenha feito isso"? Ao refletir sobre o fato, muitas vezes você pode determinar se alguém o ajudou a imergir ou a se distanciar. Provavelmente será uma combinação dos dois, o que pode ser o ponto de partida para um diálogo sobre como a pessoa pode ajudá-lo melhor na próxima vez. Ao relembrar outras experiências com seus "consultores de falatório", você também pode definir quais pessoas são as mais adequadas para quais problemas.

Embora alguns amigos, colegas e entes queridos sejam úteis para uma ampla gama de adversidades emocionais, quando os problemas são mais especializados, pessoas específicas podem ser mais úteis. Seu irmão pode ser a pessoa certa para orientá-lo nos dramas familiares (ou, talvez com a mesma probabilidade, pode ser a pessoa errada). Seu cônjuge pode ser o consultor de falatório perfeito para desafios profissionais, ou talvez alguém de outro departamento do seu trabalho. Na verdade, a pesquisa indica que pessoas que diversificam suas fontes de apoio – recorrendo a relacionamentos diferentes para necessidades diferentes – são as que mais se beneficiam.[18] O ponto mais importante aqui é pensar criticamente após a ocorrência de um evento instigador de falatório e refletir sobre quem o ajudou ou não. É assim que você constrói sua rede de consultores de falatório, e na era da internet ainda podemos encontrar recursos on-line sem precedentes.

Um exemplo impactante é o caso do jornalista, colunista de assuntos sexuais e ativista Dan Savage e seu parceiro, Terry Miller, que em setembro de 2010 procuravam uma maneira de lidar com a notícia de mais um adolescente gay cometendo suicídio depois de sofrer um bullying implacável. Dessa vez, era um garoto de 15 anos chamado Billy Lucas, que se enforcou no celeiro da avó em Greensburg, Indiana. Savage fez uma postagem sobre sua morte em um blog e um leitor deixou um comentário dizendo que gostaria de ter dito ao menino que as coisas – sua vida – iriam melhorar. Isso levou Savage e Miller a se filmarem falando sobre como viviam vidas felizes como adultos, cheios de amor e sentimento de aconchego, apesar de terem vivido uma adolescência difícil. Uma semana depois de postado, o vídeo viralizou. Milhares de pessoas fizeram vídeos semelhantes e adolescentes gays de todo o país escreveram para Savage dizendo como aquilo os deixara mais esperançosos.

Dez anos depois – no momento em que escrevo este livro –, o sentimento que motivou aquele primeiro vídeo é muito mais que um mero fenômeno viral. It Gets Better é uma organização sem fins lucrativos inovadora e um movimento popular global.[19] Mais de 70 mil pessoas já contaram suas histórias inspiradoras, quase dez vezes mais prometeram apoio e um número incontável de jovens gays encontrou motivação, força e razões para não acabar com a própria vida antes mesmo de começar. It Gets Better resgatou as vozes internas de tantas pessoas emocionalmente vulneráveis porque, em essência, atua como uma ferramenta de distanciamento que promove a normalização – todo mundo sofre algum tipo de assédio, mas todos o superamos – e a possibilidade da viagem no tempo mental. O mais fascinante de tudo é o fato de as pessoas que assistem ao vídeo não precisarem conhecer os palestrantes para se beneficiarem de seus conselhos, um princípio que se aplica a todos os vídeos de apoio social semelhantes disponíveis on-line. É possível encontrar pessoas que nos orientem no nosso falatório em depoimentos pré-gravados de estranhos.

Nossa discussão sobre quem devemos procurar para obter apoio e como nos envolvermos verbalmente quando lidamos com o falatório levanta uma questão sobre a terapia e sua eficácia, pois obviamente exige muita conversa. A cura pela conversa, como às vezes é chamada, é realmente uma cura?

A primeira coisa a ter em mente é que existem inúmeras formas de psicoterapia e muitas vezes elas diferem drasticamente em suas abordagens. Muitas formas de terapia reconhecidas empiricamente, como a terapia cognitivo-comportamental, empregam as mesmas técnicas de que falamos ao longo deste capítulo: propiciam apoio emocional aos clientes, ao mesmo tempo que os ajudam de maneira crucial a se envolver na solução de problemas cognitivos.

No entanto, algumas intervenções continuam a se concentrar numa ventilação emocional profunda como ferramenta para mitigar o falatório. Caso em questão: *debriefing* psicológico,[20] uma abordagem que enfatiza o valor do desabafo emocional logo após uma experiência negativa, apesar das evidências esmagadoras que argumentam contra seus benefícios. O ponto importante é que se você precisar de mais que uma conversa com um amigo ou ente querido para lidar com o seu falatório e se tiver como fazer isso, converse com seus potenciais provedores de saúde mental para saber se sua abordagem é reconhecida empiricamente.

Apoio invisível

Tudo que exploramos até agora diz respeito a situações em que as pessoas procuram apoio. No entanto, todos conhecemos pessoas com problemas de falatório que às vezes não buscam ajuda. Talvez elas estejam tentando resolver o problema por conta própria ou preocupadas com que a busca por ajuda possa influenciar a maneira como os outros as veem ou como elas se veem. Mesmo assim, muitas vezes continuamos querendo ajudar de alguma forma. Afinal, perceber que alguém de quem gostamos está precisando de ajuda é uma experiência neurobiológica intensa.[21] Desencadeia empatia, o que nos motiva a querer agir a seu favor.

Sob tais circunstâncias, porém, é necessário cautela. As pesquisas mostram que pode ser perigoso tentar distribuir conselhos não solicitados, não importa quão habilidoso você seja em combinar os pontos fortes de Kirk e de Spock. Dar conselhos na hora errada também pode fazer o tiro sair pela culatra.

Considere a experiência arquetípica de um pai ensinando o filho a resolver um problema de matemática com o qual está encrencado.

O pai examina seriamente o problema, certo de que uma explicação paciente e clara é exatamente o que o filho precisa para se sair bem na tarefa e se sentir melhor consigo mesmo. Trata-se de uma solução cognitiva que deve acarretar uma emoção positiva, certo? Só que não é bem assim que funciona. Durante a explicação do pai, a criança vai ficando carrancuda e agitada. De alguma forma, a impecável lógica matemática se perde na estática emocional de uma discussão calorosa.

"Eu sei como fazer isso!", diz a criança.

"Mas você estava tendo problemas, é por isso que eu estava tentando ajudar", responde o pai.

"Eu não preciso da sua ajuda!"

A criança corre para o quarto. O pai fica perplexo. O que acabou de acontecer?

(Observação: isso pode ou não ter sido uma experiência autobiográfica.)

Oferecer conselhos sem considerar as necessidades da pessoa pode minar seu senso de *autoeficácia* – a convicção crucial de que somos capazes de gerenciar desafios. Em outras palavras, quando percebemos que alguém está nos ajudando sem que tenhamos pedido sua ajuda, interpretamos isso como uma forma de impotência ou ineficiência – um sentimento que pode travar nossa voz interna. Um longo histórico de pesquisas psicológicas demonstrou que a falta de autoeficácia prejudica não apenas nossa autoestima, mas também nossa saúde, nossa capacidade de decisão e nossos relacionamentos.[22]

No fim dos anos 1990, o psicólogo da Universidade Columbia Niall Bolger e seus colegas aproveitaram o exame da Ordem dos Advogados de Nova York para determinar quando as tentativas de apoiar alguém são mais eficazes.[23] O exame da Ordem dos Advogados, como sabem todos os advogados e seus entes queridos, é um teste cansativo e causa muito falatório. Bolger recrutou casais em que um dos parceiros estava estudando para o exame e durante pouco mais de um mês pediu aos candidatos que respondessem a uma série de perguntas que revelariam quão ansiosos e deprimidos estavam, bem como quanto apoio recebiam do parceiro. Também pediu aos parceiros dos candidatos que relatassem quanto os apoiavam. Bolger estava interessado principalmente em saber se os benefícios obtidos ao receber apoio social dependem de a pessoa estar ciente de que um parceiro está tentando ajudar.

O estudo mostrou que ajudar sem que o ajudado perceba, fenômeno denominado "apoio invisível", era a fórmula para apoiar os outros sem fazê-los se sentir mal por não terem os recursos para passar pela situação por conta própria. Ao receberem uma ajuda indireta, os participantes ficaram menos deprimidos. Na prática, pode ser qualquer forma de apoio prático sub-reptício, como cuidar dos afazeres domésticos sem ser solicitado ou criar um espaço mais tranquilo para a pessoa trabalhar. Ou pode envolver a habilidade de dar conselhos que ampliem a perspectiva sem parecerem explicitamente dirigidos a ela. Por exemplo, pedir a alguém uma opinião que tenha implicações para o amigo ou ente querido em sua presença (uma espécie de conselho invisível) ou normalizar a experiência falando sobre como outras pessoas lidaram com experiências semelhantes. Atitudes como essas transmitem as informações e o apoio necessários, mas sem destacar as possíveis deficiências de alguém vulnerável.

Desde o primeiro e pioneiro experimento de Bolger que abordou essa questão, outras pesquisas convergiram para validar a eficácia do apoio invisível. Um estudo sobre casamentos,[24] por exemplo, descobriu que os parceiros sentem mais satisfação com seus relacionamentos um dia depois de terem recebido um apoio invisível. Outro experimento constatou que as pessoas se saíam melhor no cumprimento de suas metas de autoaperfeiçoamento se o apoio recebido dos parceiros em relação a essas metas não aparecesse no radar.[25]

Outras pesquisas forneceram uma visão das circunstâncias[26] em que esse apoio invisível é mais eficaz: quando as pessoas estão sendo avaliadas ou se preparando para isso. Por exemplo, quando estão estudando para um exame, preparando-se para uma entrevista ou ensaiando pontos de discussão de uma apresentação. Nessas ocasiões, as pessoas se sentem mais vulneráveis. Em comparação, quando as pessoas querem administrar seu falatório da forma mais rápida e eficiente possível, não é necessário ser sutil ou elaborado na forma como você apoia. Nesse caso, um aconselhamento direto que combine Kirk com Spock é mais necessário, apropriado e tem maior probabilidade de sucesso.

Além das formas de apoio invisível que discutimos, existe outro caminho para ajudar sutilmente gente de quem somos muito próximos e que se encontra perdida no falatório; ele é totalmente não verbal: o toque afetuoso.

Na verdade, o toque é uma das ferramentas mais básicas que usamos para ajudar aqueles de quem mais gostamos a reverter um diálogo interno negativo. Assim como a linguagem, é algo inseparável da capacidade de controlar nossas emoções desde a infância, pois nossos cuidadores usam o contato físico afetuoso para nos acalmar desde o momento em que deixamos o útero. Pesquisas mostram que, quando pessoas sentem o toque ou um abraço desejado e afetuoso de alguém de quem são próximas, muitas vezes isso é interpretado como um sinal de segurança, de amor e de apoio. O contato físico atencioso[27] de quem conhecemos e em quem confiamos diminui nossa resposta biológica a uma ameaça, melhora nossa capacidade de lidar com o estresse, aumenta a satisfação no relacionamento e reduz o sentimento de solidão. Também ativa os circuitos de recompensa do cérebro e desencadeia a liberação de neuroquímicos que aliviam o estresse, como a oxitocina e as endorfinas.

O toque afetivo é tão potente, de fato, que uma série de estudos constatou que um mero segundo de contato no ombro fazia pessoas com baixa autoestima se sentirem menos ansiosas sobre a morte e mais conectadas aos outros.[28] Mais impressionante ainda, até mesmo o toque de um objeto inanimado reconfortante, como um ursinho de pelúcia, pode ser benéfico.[29] Isso provavelmente se deve ao fato de o cérebro decodificar o contato[30] com um bichinho de pelúcia de forma equivalente a um toque interpessoal. Na verdade, muitos cientistas consideram a pele um órgão social.[31] Nesse sentido, nosso contato com os outros faz parte de uma conversa não verbal contínua que pode beneficiar nossas emoções.

O que damos e recebemos dos outros em nossas interações diárias constitui um rico portfólio de consolo para a voz interna. A ciência de como essas técnicas funcionam está se tornando cada vez mais clara, ainda que, é lógico, empregá-las com pessoas que amamos exija uma certa arte, para não falar de prática.

• • •

Em última análise, as conversas que temos com os outros não são tão diferentes das conversas que temos com nós mesmos. Elas podem nos fazer sentir melhor ou pior. Dependendo de como envolvemos outras pessoas e como elas nos envolvem, nós sentimos o falatório com maior ou menor intensidade. Provavelmente tem sido assim desde que nossa espécie começou a compartilhar seus problemas. Mas só recentemente começamos a entender os mecanismos psicológicos subjacentes.

Contudo, em nosso jovem século XXI, nossos relacionamentos começaram a migrar para um ambiente novo para a nossa espécie e para o nosso falatório, o mesmo lugar que os alunos da Universidade do Norte do Illinois e da Virginia Tech procuraram após suas respectivas tragédias: a internet. Um questionamento natural é se as formas de apoio verbal que funcionam ou não podem ser transferidas para a forma como "falamos" nas redes sociais, por meio de textos e outras formas de comunicação digital.

Embora a psicologia esteja apenas começando a lidar com essa questão, já começamos a avistar algumas pistas. Por exemplo, em meados dos anos 2010, meus colegas e eu quisemos entender melhor a natureza da corruminação via redes sociais,[32] então pedimos a pessoas que estavam em conflito com alguma experiência perturbadora que conversassem com outra por meio de um aplicativo de mensagens. O que elas não sabiam era que a pessoa do outro lado era um ator que havia sido meticulosamente treinado para instigar metade dos participantes a continuar falando sobre o que havia acontecido. Para a outra metade, o ator aconselhava delicadamente a aumentar o campo de visão e focar no panorama geral.

Como era de esperar, os participantes que foram levados a remoer seus sentimentos ficaram cada vez mais perturbados durante as conversas.

Suas emoções negativas dispararam desde o momento em que se sentaram ao teclado até o momento em que saíram. Em comparação, os participantes que o ator ajudou a aumentar o campo de visão continuaram tão calmos e controlados quanto quando entraram no laboratório.

O que muitas vezes não consideramos quando procuramos ou damos apoio, on-line ou off-line, é que, objetivamente falando, as pessoas com quem convivemos formam um *ambiente social*. O que nós aprendemos é como navegar nesse ambiente de forma a maximizar os resultados positivos para a voz interna. Nossos arredores são inseparáveis dos seres humanos que os habitam e, quando usamos os recursos que estão à nossa disposição nos nossos relacionamentos com os outros, os benefícios são notáveis. Mas os outros são apenas uma faceta do nosso ambiente que podemos aproveitar para melhorar nossas conversas internas.

Também podemos sair para fazer uma caminhada, assistir a um concerto ou simplesmente arrumar a casa. Cada uma dessas ações aparentemente pequenas pode ter efeitos surpreendentes no nosso falatório.

capítulo seis
De fora para dentro

Em 1963,[1] a Secretaria de Habitação de Chicago concluiu a construção de um projeto monumental no bairro tradicionalmente negro de South Side: o Robert Taylor Homes.[2] O enorme conjunto residencial, com 28 torres de concreto de 16 andares, era o maior complexo habitacional público da história do mundo.

Construído para conter o aumento de favelas que estavam tomando conta de cada vez mais bairros, o Robert Taylor Homes recebeu o nome de um proeminente arquiteto e líder comunitário negro recentemente falecido. Infelizmente, o produto final não honrou sua memória. O Robert Taylor Homes não somente reforçou a estrutura de segregação já dominante em toda a cidade de Chicago como também exacerbou os desafios enfrentados pela comunidade.

Nos anos 1980, o Robert Taylor Homes se tornou notório como um microcosmo dos mesmos problemas que assolam dezenas de cidades americanas: violência de gangues, drogas e pessoas atormentadas pelo medo, problemas de saúde e privação de direitos. Uma grande e muito elogiada tentativa de renovação urbana desmoronou, em mais um exemplo de decadência urbana que afetou desproporcionalmente os afro-americanos.

Se você morasse no Robert Taylor Homes, não precisava ligar a televisão ou ler um jornal para testemunhar os efeitos devastadores que a pobreza e a segregação causaram nos Estados Unidos na segunda metade do século XX. Bastava sair do seu apartamento. Mas dentro dessa atmosfera de crime, em meio ao tumulto diário que definia a vida dos moradores do Robert Taylor Homes, um experimento inovador aconteceria em breve.

Quando se candidatavam a um apartamento no Robert Taylor Homes, os futuros moradores não tinham voz sobre o prédio onde iriam morar. Eram designados aleatoriamente a uma unidade, quase da mesma forma que os cientistas designam aleatoriamente assuntos a diferentes grupos em um experimento. Como consequência, os inquilinos acabavam morando em apartamentos que, em muitos casos, tinham vistas radicalmente diferentes. Algumas unidades davam para árvores e pátios gramados. Outras davam para lajes cinzentas de cimento.

No fim dos anos 1990, essa circunstância específica acabou proporcionando uma oportunidade inesperada a Ming Kuo,[3] uma professora assistente recém-nomeada que trabalhava na Universidade de Illinois. De cabelo escuro e curto, óculos, um sorriso caloroso e uma mente penetrante, Ming estava interessada em entender se o ambiente físico dos moradores afetava a capacidade de lidar com o estresse de viver num ambiente assolado por drogas e crime. Como muitos outros cientistas, fora surpreendida por um crescente corpo de pesquisas que mostrava uma relação entre a visão de espaços verdes e maior resiliência.

Em um estudo particularmente interessante, o psicólogo ambiental Roger Ulrich[4] descobriu que pacientes em recuperação de uma cirurgia na vesícula biliar que foram designados a uma sala que dava para um pequeno aglomerado de árvores antigas se recuperaram mais rápido de suas operações, tomaram menos analgésicos e foram considerados mais resistentes emocionalmente pelas enfermeiras que cuidaram deles do que pacientes cujos quartos davam para uma parede de tijolos. Mas se a visão de paisagens verdes poderia ajudar as pessoas a administrar a turbulência emocional da vida no centro da cidade em um dos ambientes mais hostis dos Estados Unidos ainda era um mistério total.

Quando soube do processo de distribuição de moradias no Robert Taylor Homes, Ming viu uma chance de examinar mais a fundo os efeitos da natureza na mente. Ela e sua equipe começaram a visitar os apartamentos para ver o que podiam descobrir. Primeiro tiraram fotos das áreas ao redor de 18 edifícios do Robert Taylor Homes e classificaram os edifícios em relação à visualização de algum espaço verde. Em seguida, recrutaram participantes de porta em porta para seu estudo; nesse caso, chefes de família mulheres. Durante sessões de 45 minutos realizadas nos apartamentos das participantes, a equipe de Ming catalogou como elas administravam as questões mais importantes de suas vidas: se deveriam voltar para a escola, como manter os apartamentos seguros e como criar os filhos. Também mediram a capacidade de cada uma de focar sua atenção medindo quantos dígitos conseguiam reter e manipular a partir de uma série de números.

Quando Ming e sua equipe analisaram os dados, descobriram que os inquilinos que moravam em apartamentos com vista para o verde tinham uma capacidade significativamente maior de focar sua atenção do que os que moravam em edifícios com vista para paisagens urbanas e áridas. Também procrastinavam menos ao tomar decisões importantes e sentiam que os obstáculos que enfrentavam eram menos debilitantes. Em outras palavras, tinham um comportamento mais positivo, o pensamento mais calmo e viam os problemas mais como desafios do que como ameaças. Além disso, as descobertas de Ming sugeriram que o comportamento e o pensamento desses moradores do Robert Taylor Homes eram mais positivos *porque* eles eram mais aptos a focar sua atenção. Árvores e grama pareciam agir como vitaminas mentais que alimentavam a capacidade de controlar os fatores estressantes que enfrentavam.

Posteriormente provou-se que as descobertas de Ming não foram uma coincidência. Nos anos seguintes ao seu estudo, novas revelações verdes surgiram.[5] Por exemplo, usando dados de mais de 10 mil indivíduos na Inglaterra,[6] coletados ao longo de 18 anos, os cientistas descobriram que as pessoas declaravam vivenciar níveis mais baixos de angústia e maior bem-estar quando moravam em áreas urbanas com mais espaço verde. Entrementes, um estudo de imagens de satélite da cidade canadense de Toronto em alta resolução de 2015 descobriu que só o fato de haver mais dez árvores num quarteirão estava associado a melhorias na saúde das pessoas comparáveis a um aumento da renda anual de 10 mil dólares ou de serem sete anos mais novas.[7] Finalmente, um estudo envolvendo toda a população da Inglaterra abaixo da idade de aposentadoria[8] – aproximadamente 41 milhões de pessoas – revelou que a exposição a espaços verdes protegia as pessoas contra vários dos efeitos nocivos da falta de serviços de saúde. Em outras palavras, com um leve exagero, os espaços verdes parecem funcionar como um excelente terapeuta, um elixir antienvelhecimento e um bálsamo para o sistema imunológico, tudo numa coisa só.

Essas descobertas levantam uma possibilidade fascinante: que as conversas internas que temos com nós mesmos são influenciadas pelos espaços físicos em que passamos nossa vida diária. E, se fizermos escolhas inteligentes sobre como nos relacionamos com nosso ambiente, elas podem nos ajudar a controlar nossa voz interna. Mas, para entender como isso funciona, primeiro precisamos saber quais facetas da natureza nos atraem.

A força da natureza

Em certo sentido, o trabalho de Ming em Chicago com o Robert Taylor Homes não começou com ela ou com o estudo de Ulrich com os pacientes de vesícula biliar. Na verdade, surgiu da curiosidade de um casal de cientistas sobre a interação entre a mente humana e o mundo natural.

Nos anos 1970, Stephen e Rachel Kaplan,[9] ambos psicólogos da Universidade de Michigan, apresentaram uma ideia intrigante: a de que a natureza poderia agir como uma espécie de bateria, recarregando as limitadas reservas de atenção que o cérebro humano possui. Eles a chamaram de teoria da restauração da atenção.

Claro que a maioria das pessoas já sabia que um pôr do sol pictórico, uma paisagem montanhosa, uma caminhada no bosque ou um dia na praia costumam fazer uma pessoa se sentir bem, mas haveria algo mais?

Os Kaplan achavam que havia uma diferenciação relacionada à atenção humana já mencionada por William James,[10] um dos fundadores da psicologia moderna nos Estados Unidos, há mais de cem anos. James separou as maneiras como prestamos atenção em duas categorias: involuntária e voluntária.

Quando prestamos atenção em algo involuntariamente, é porque o objeto de nossa atenção tem alguma característica intrigante que nos atrai com facilidade. Em um cenário da vida real, você pode imaginar, digamos, estar andando pela cidade e ouvir um músico talentoso tocando em uma esquina. Você ouve o som e de repente toma sua direção e dá uma parada para ouvir por alguns minutos (e talvez ponha algum dinheiro no estojo do instrumento antes de continuar andando). Sua atenção foi delicadamente atraída por um processo que os Kaplan chamaram de "fascinação suave".

A atenção voluntária, em comparação, tem a ver com nossa vontade. Captura a incrível capacidade que nós, seres humanos, temos de fixar a atenção no que quisermos – como um problema difícil de matemática ou um dilema sobre o qual estamos tentando parar de ruminar. Como resultado, a atenção voluntária se esgota facilmente e precisa de recargas contínuas, enquanto a atenção involuntária não queima tanto os recursos limitados do nosso cérebro.[11]

Os Kaplan acreditavam que a natureza chama nossa atenção involuntária por estar repleta de fascinações suaves: aspectos sutilmente estimulantes que atraem inconscientemente a nossa mente. O mundo natural chama nossa atenção delicadamente com artefatos como grandes árvores, plantas intricadas e pequenos animais. Podemos ver essas coisas e nos aproximar para um exame mais detalhado, como com aquele músico tocando na esquina, mas não com a mesma atenção minuciosa que concentraríamos se estivéssemos memorizando pontos de discussão para um discurso ou dirigindo no trânsito da cidade. Atividades como essas drenam as baterias das funções executivas, ao passo que a absorção da natureza, sem esforço, age ao contrário: faz com que os recursos neurais que orientam nossa atenção voluntária sejam recarregados.

Os estudos que Ming e seus colegas realizaram em Chicago foram projetados para testar rigorosamente as ideias dos Kaplan e, como vimos, produziram evidências que corroboraram em muito essa teoria. Outros experimentos também ilustraram os poderes da natureza.

Um estudo, hoje já clássico,[12] foi feito em 2007, a poucos quarteirões da minha casa em Ann Arbor; nele, Marc Berman e seus colegas levaram participantes para o laboratório e os fizeram realizar um teste exigente, que sobrecarregou sua capacidade de atenção – ouvir várias sequências de números que variavam de três a nove dígitos e em seguida repeti-los em ordem inversa. Metade dos participantes saiu para uma caminhada no arboreto local por pouco menos de uma hora, enquanto a outra metade andou por uma rua congestionada no centro de Ann Arbor pelo mesmo período de tempo. Depois voltaram ao laboratório e repetiram a tarefa de atenção. Passada uma semana, as circunstâncias foram trocadas: cada um teve que percorrer o trajeto não realizado na semana anterior.

A descoberta: o desempenho dos participantes no teste de atenção melhorou consideravelmente depois da caminhada pela natureza, mas não após a caminhada urbana. Sua capacidade de inverter as sequências de números e repeti-los para o pesquisador foi muito mais nítida. Além disso, o resultado não dependeu de os participantes fazerem suas caminhadas durante um verão idílico ou um inverno sombrio. Independentemente da época do ano, o passeio pela natureza aumentou mais a atenção de todos que a caminhada urbana.

Berman e seus colegas replicaram esses resultados em outras populações. Por exemplo, um estudo com participantes clinicamente deprimidos[13] indicou que uma caminhada na natureza melhorava sua função cognitiva e os fazia se sentir mais felizes. Outro estudo com imagens de satélite,[14] conduzido por uma equipe diferente com mais de 900 mil participantes, descobriu que crianças que cresciam com menos exposição a espaços verdes apresentavam um risco de 15% a 55% maior de desenvolver distúrbios psicológicos como depressão e ansiedade quando adultas. Tudo isso, somado ao trabalho de Ming em Chicago, sugeria que os benefícios da natureza não se limitavam às nossas reservas de atenção. Também se estendiam às nossas emoções.

O impacto da natureza sobre os sentimentos humanos faz sentido, dado quão importante é nossa capacidade para administrar nossa voz interna. Afinal, muitas das técnicas de distanciamento que examinamos se baseiam na concentração da mente: é difícil manter um diário, "viajar no tempo" ou adotar uma perspectiva de mosca na parede se você não consegue se concentrar. Além disso, a capacidade de desviar nossas conversas internas de coisas que nos incomodam ou de reformular a forma como pensamos sobre situações estressantes também requer que nossas funções executivas não funcionem a esmo. Mas Ming e outros cientistas nunca testaram a ideia de que a natureza poderia reduzir a ruminação de forma direta. Isso aconteceu em 2015 na Universidade Stanford, em Palo Alto, na Califórnia.[15]

Frondosa e arejada, Palo Alto está longe de ser a árida e agitada Chicago, embora tenha um punhado de ruas movimentadas. Os pesquisadores projetaram um experimento em que os participantes realizavam uma caminhada de noventa minutos em uma avenida congestionada ou por um espaço verde adjacente ao campus de Stanford. Quando os cientistas compararam os níveis de ruminação das pessoas no final do estudo, constataram que os participantes do grupo de caminhada na natureza declaravam ter lidado com menos falatório e menos atividade numa rede de regiões do cérebro que fomentam a ruminação.

Como nasci e fui criado numa cidade grande,[16] acho que aqui é necessário fazer uma pausa. Nos últimos dois séculos a civilização humana passou por uma grande migração de áreas rurais para áreas urbanas e estima-se que, em 2050, 68% da população mundial viverá em grandes cidades.[17] Se você tem uma vida urbana, é natural se sentir alarmado por fazer parte dessa enorme porção da humanidade com menos acesso à natureza e a espaços verdes. Quando tomei conhecimento dessa pesquisa, fiquei desconcertado. Conjeturei se o fato de ter morado nas densas cidades de concreto da Filadélfia e de Nova York nos primeiros 28 anos da minha vida significa que eu – bem como todos os outros com experiências de vida urbana semelhantes – estou destinado a ter uma saúde pior, deficiência de atenção e mais pensamentos intrusivos.

Felizmente, a resposta é não. Você não precisa estar rodeado pela natureza para "esverdear" sua mente. Lembre-se de que a ideia subjacente à teoria de restauração da atenção dos Kaplan é que os aspectos perceptivos sutis da natureza atuam como uma espécie de bateria para o cérebro. Bem, as características visuais que criam essa fascinação suave e agradável não têm esse efeito só quando você está fisicamente perto da natureza. A exposição indireta ao mundo natural, por meio de fotos e vídeos, também restaura os recursos de atenção. Isso significa que você pode trazer a natureza e seus diversos benefícios para o seu ambiente urbano – ou qualquer ambiente, nesse caso –, observando fotos ou vídeos de cenas da natureza. Por incrível que pareça, a mente humana também considera a natureza virtual como natureza.

Um experimento publicado em 2016, por exemplo, induziu estresse em participantes usando a temida tarefa de falar em público. Em seguida, assistiram a um vídeo de seis minutos das ruas da vizinhança que alternavam com paisagens verdes e urbanas.[18] Uma parte dos participantes assistiu a um vídeo de casas em uma rua sem árvores, a outra fez um tour virtual por um bairro com arborização exuberante. Os que foram expostos a mais cenas da natureza demonstraram um aumento de 60% na capacidade de se recuperar do estresse do discurso em comparação com os que assistiram a vídeos com menos visões de espaços verdes.

Embora a maior parte das pesquisas feitas sobre os benefícios psicológicos da natureza se concentre na exposição visual, não há razão para pensar que nossos outros sentidos também não sejam sensíveis a esses efeitos surpreendentes. Em 2019, um estudo descobriu que expor pessoas a sons naturais, como de chuva ou o canto dos grilos, melhora seu desempenho em tarefas de concentração.[19] As manifestações sonoras da natureza também podem exercer um fascínio suave.

Em conjunto, essas descobertas demonstram que a natureza fornece aos humanos uma ferramenta para lidar com a nossa voz interna de fora para dentro e que quanto mais nos expomos à natureza, mais nossa saúde melhora.[20] Funcionam como um manual para estruturar o nosso ambiente para reduzir o falatório. E novas tecnologias provavelmente tornem mais fácil colher esses benefícios. Por exemplo, Marc Berman e sua colaboradora Kathryn Schertz desenvolveram um aplicativo chamado ReTUNE, abreviação de Restoring Through Urban Nature Experience (Restauração através da exposição à natureza urbana).[21] O aplicativo integra informações sobre o verde, o barulho e a frequência de crimes de cada quarteirão nos arredores da Universidade de Chicago para chegar a uma pontuação de natureza. Quando os usuários inserem o destino do seu trajeto, o aplicativo indica direções que maximizam a natureza restauradora da caminhada levando em conta questões práticas como número de cruzamentos e extensão do trajeto. Se se mostrar comprovadamente eficaz, o próximo passo natural seria estender o aplicativo para, bem, para todos os lugares. Claro, você não precisa do aplicativo para maximizar a exposição à natureza em sua vida diária. Basta fazer uma avaliação cuidadosa dos diferentes ambientes pelos quais transita e modificar suas rotas de acordo.

Como demonstra a relação da nossa mente com a natureza, o mundo físico é capaz de influenciar nossos processos psicológicos internos. Mas as muitas fontes de fascinação suave da natureza são apenas um caminho para colhermos esses benefícios. Há ainda outro aspecto que nos ajuda a controlar nossa voz interna, só que essa ferramenta não se limita ao nosso ambiente no mundo natural. Também podemos encontrá-la em espetáculos, em museus e até mesmo vendo um bebê dar os primeiros passos.

Encolhendo o eu

A empolgação que Suzanne Bott[22] sentiu ao pegar o remo e subir no bote fez seu corpo formigar. Pelos próximos quatro dias ela remaria o cintilante Green River de Utah abaixo ao lado de três outros botes. Durante o dia, apreciariam as encostas acastanhadas do desfiladeiro em forma de castelo. À noite, conversariam sobre as aventuras do dia em torno de uma fogueira bruxuleante.

Apesar da impressão a partir de uma observação superficial, não se tratava de um grupo comum de entusiastas da natureza. A maioria dos remadores era de militares veteranos que haviam estado em combate, ao lado de vários ex-bombeiros que se encontravam entre os primeiros a responder ao alerta do 11 de Setembro. Todos tinham respondido a um anúncio recrutando veteranos para uma viagem com despesas pagas ao Green River, projetada para ajudá-los a se conectar com a natureza. Porém havia um detalhe: a viagem também serviria como um experimento de pesquisa. Mesmo assim, tudo que os participantes precisavam fazer era remar e preencher alguns questionários.

Suzanne Bott era a estranha do grupo. Não era uma veterana de combate e não tinha experiência em apagar incêndios. Em 2000, depois de passar seis anos cursando o doutorado em gestão de recursos naturais na Universidade do Colorado, sentia-se esgotada pela cultura acadêmica de "publicar ou perecer". Então começou a trabalhar em reabilitação, ajudando a revitalizar pequenas cidades. Mas Suzanne continuou o tempo todo atenta à vida privilegiada que levava em comparação com tantos outros americanos, inclusive seu irmão, um graduado oficial de inteligência servindo no Iraque. Enquanto algumas pessoas ruminam sobre as coisas que fazem, ela ruminava sobre o que não estava fazendo. Ela precisava de uma mudança.

Depois de trabalhar nos Estados Unidos por vários anos, Suzanne arranjou um emprego numa agência particular de segurança contratada pelo Departamento de Estado para apoiar os esforços do novo governo do Iraque para assumir um controle mais firme de diferentes regiões do país. Ela desembarcou em Bagdá em janeiro de 2007 e passou um ano em Ramadi, a cidade iraquiana que um mês antes de sua chegada a revista *Time* apelidou de "o lugar mais perigoso do Iraque".[23] Passou grande parte de seu tempo desenvolvendo uma estratégia de transição de longo prazo para o novo governo iraquiano, trabalhando em estreita colaboração com um pequeno grupo de fuzileiros navais e engenheiros do Exército. Suas movimentações envolviam usar colete à prova de bala, viajar em comboios de Humvees e correr de veículos para edifícios para evitar o fogo de franco-atiradores. Muito diferente do aconchegante Colorado.

Sua nova carreira proporcionou a Suzanne o senso de propósito que faltava em sua vida. Mas também a levou a um colapso emocional.

Comparecia regularmente a memoriais para colegas mortos e viu horrores durante o seu trabalho para os quais não estava preparada – carros-bomba, guerra territorial e assassinatos. A carnificina tornou-se parte de sua vida cotidiana.

Em 2010 Suzanne voltou para casa, nos Estados Unidos, onde seu falatório assumiu o controle. Perguntar-se sobre porque tinha sobrevivido quando tantos de seus colegas morreram era uma fonte contínua de angústia. Lembranças dos horrores que presenciou se repetiam em sua mente, agravadas por notícias recorrentes detalhando a ascensão do Estado Islâmico em áreas onde havia vivido e trabalhado recentemente. O falatório atingiu um crescendo em 2014, quando soube que o Estado Islâmico havia decapitado na Síria James Foley, um jornalista com quem trabalhou em estreita colaboração no Iraque. Contra o próprio julgamento, assistiu ao vídeo da decapitação que o Estado Islâmico postou na internet. Desde então não foi mais a mesma. Foi quando viu o anúncio da viagem de rafting.

Na noite após seu primeiro dia na água, Suzanne preencheu um breve questionário que pedia que ela classificasse como tinha vivenciado suas várias emoções positivas diferentes. Uma equipe de cientistas liderada por um psicólogo chamado Craig Anderson,[24] da Universidade da Califórnia em Berkeley (que também participou da viagem), esperava usar as respostas dos remadores para compreender o impacto da experiência emocional comum, porém mal estudada, a do arrebatamento.

Arrebatamento é a sensação que temos quando nos vemos diante de algo intenso que não podemos explicar facilmente.[25] Muitas vezes nos sentimos arrebatados no mundo natural quando vemos um pôr do sol incrível, o pico de uma montanha com quilômetros de altitude ou uma bela paisagem. O arrebatamento é considerado uma emoção transcendental, pois faz as pessoas pensarem e sentirem algo que vai além de suas necessidades e seus desejos. Isso se reflete no que acontece no cérebro durante experiências arrebatadoras:[26] a atividade neural associada à autoimersão diminui, da mesma forma que o cérebro reage quando pessoas meditam ou tomam psicodélicos como o LSD,[27] notórios por confundir a linha divisória entre a sensação do eu e o mundo ao redor.

A sensação de arrebatamento, contudo, não se restringe apenas à natureza e ao ar livre. Algumas pessoas sentem o mesmo quando assistem a um show de Bruce Springsteen, leem um poema de Emily Dickinson ou apreciam a *Mona Lisa* no Louvre. Outras podem ter experiências arrebatadoras ao ver algo extraordinário pessoalmente, como um evento esportivo decisivo, um objeto lendário como a Constituição dos Estados Unidos ou presenciam algo intimamente monumental, como um bebê dando os primeiros passos. Os psicólogos evolutivos teorizam que desenvolvemos essa emoção porque ela ajuda a nos unir aos outros ao reduzir nosso interesse próprio, o que nos dá uma vantagem de sobrevivência, pois grupos se saem melhor contra ameaças e podem realizar objetivos mais elevados trabalhando juntos.[28]

Mas a equipe de Berkeley não estava apenas interessada em saber se descer um rio com corredeiras violentas faria os remadores se sentirem arrebatados. Eles achavam que sim. Mas o que realmente queriam saber era se a intensidade do arrebatamento que sentissem na viagem teria algum impacto duradouro no estresse e no bem-estar posteriores.

Assim, no início da descida de rafting e uma semana após seu término, Anderson pediu aos remadores que preenchessem uma série de índices para medir seus níveis de bem-estar, estresse e TEPT. Muita coisa aconteceu entre as duas avaliações. Eles percorreram dezenas de quilômetros em botes em quatro dias, passaram várias tardes caminhando ao longo das margens do rio e viram petróglifos pré-históricos criados há milhares de anos que os levaram a refletir sobre sociedades esquecidas que outrora pisaram no mesmo solo ao lado do rio como eles faziam agora. Os efeitos dessas experiências se dissipariam após a viagem ou deixariam algo para os remadores?

Quando calculou os números ao final do estudo, Anderson constatou que os participantes exibiram melhorias significativas em cada uma das medidas de bem-estar depois da viagem; seus níveis de estresse e TEPT diminuíram, melhorando seus níveis gerais de felicidade, satisfação com a vida e senso de pertencimento. Os resultados foram interessantes por si sós. Mas a descoberta mais fascinante foi a que haviam previsto. Como Anderson e seus colegas esperavam, não foi em função da intensidade da diversão, de contentamento, gratidão, alegria ou orgulho que os remadores sentiram a cada dia da viagem de rafting. Foi quão arrebatados se sentiram. Suzanne sentiu todos esses estímulos, inclusive uma voz interna mais tranquila. "Aquela viagem de bote mudou radicalmente a minha perspectiva", ela me disse dois anos depois.

Quando na presença de algo vasto e indescritível, é difícil manter a visão de que você – e a voz na sua cabeça – são o centro do mundo.[29] A experiência altera o fluxo sináptico dos seus pensamentos[30] de maneira semelhante a outras técnicas de distanciamento que examinamos.[31] No caso do arrebatamento, no entanto, não é preciso focar a mente em um exercício visual ou na reformulação de uma experiência perturbadora. Nesse sentido, é semelhante a dizer o próprio nome: você tem a experiência, seja ela qual for, seguida por alívio. Quando nos sentimos pequenos diante de paisagens arrebatadoras – um fenômeno descrito como um "encolhimento do eu" –, o mesmo ocorre com os nossos problemas.

O estudo do rafting nas corredeiras do Green River feito por Berkeley é apenas um exemplo de uma linha cada vez maior de pesquisas que associa o arrebatamento a benefícios físicos e psicológicos. Outro estudo, por exemplo, mostrou que o arrebatamento faz as pessoas perceberem uma maior disponibilidade de tempo, levando-as a priorizar experiências mais demoradas e mais gratificantes – como assistir a um espetáculo da Broadway – em detrimento de experiências materiais mais imediatas, mas também menos gratificantes, como comprar um relógio novo.[32] Ao mesmo tempo, no nível fisiológico, o arrebatamento está associado a uma redução de processos inflamatórios.[33]

A influência do arrebatamento no comportamento é tão forte, na verdade, que os outros não conseguem deixar de notar. Uma série de estudos[34] descobriu que pessoas "sensíveis a arrebatamentos" eram mais modestas em relação aos amigos. Também se portavam com mais humildade, tinham uma visão mais equilibrada de seus pontos fortes e fracos – ambas características marcantes de sabedoria[35] – e davam mais crédito ao papel das influências externas em suas realizações.

Há uma ressalva importante a considerar quanto ao papel que o arrebatamento desempenha na nossa vida emocional.[36] Apesar de a maior parte das pesquisas o vincularem a resultados positivos, os cientistas mostraram que um subconjunto de experiências que induzem o arrebatamento pode desencadear sentimentos negativos. Vamos definir esses casos como "ruins", no sentido negativo: a visão de um tornado, um ataque terrorista ou acreditar em um Deus irado. (As pesquisas mostram que aproximadamente 80% dos incidentes relacionados a arrebatamentos são edificantes e 20% não o são.) Esses tipos de experiência são considerados inspiradores no sentido de que, como um majestoso pôr do sol, são tão grandiosos e complexos que não podemos explicá-los com facilidade. A diferença é que as pessoas os veem como ameaçadores. E acontece que, quando você injeta um pouco de ameaça na equação do arrebatamento, isso pode transformar pensamentos em falatório – o que talvez não seja tão surpreendente.

O poder operativo do arrebatamento é sua capacidade de nos fazer sentir pequenos, o que nos leva a ceder o controle da nossa voz interna a uma grandeza maior. Mas existe outra alavanca que nosso ambiente físico pode acionar para melhorar nossos diálogos internos, que é o contrário de ceder à imensidão desenfreada da vida – uma alavanca que não nos faz ceder o controle, mas sim recuperá-lo.

O Princípio de Nadal

Em junho de 2018, o astro do tênis espanhol Rafael Nadal entrou na quadra de saibro do Aberto da França para disputar a partida final do torneio em busca de seu décimo primeiro campeonato. Naquele dia de verão em Paris, com 15 mil torcedores esperando ansiosos para assistir a uma partida de classe internacional, ele e seu adversário, o austríaco Dominic Thiem, saíram dos vestiários, prontos para competir. Nadal fez o que sempre faz antes de uma partida. Primeiro atravessou a quadra até seu banco com uma única raquete na mão. Em seguida tirou sua jaqueta de aquecimento e olhou para a multidão, saltando para a frente e para trás vigorosamente na ponta dos pés. E, como de hábito, colocou no banco seu cartão de identificação do torneio voltado para cima.

A partida começou.

Nadal saiu na frente logo no início, vencendo o primeiro set. Depois de cada ponto, mexia no cabelo e na camisa antes do saque seguinte, como arrumando-os no lugar. Nos intervalos da partida, tomava um gole de um energético e água e os deixava exatamente como antes – na frente da cadeira à sua esquerda, um atrás do outro, alinhados em diagonal com a quadra.

Dois sets depois, Nadal venceu Thiem e deixou o Aberto da França vitorioso mais uma vez.

Embora você possa pensar que competir contra atletas de nível mundial e ter cuidado de não distender um músculo são as partes mais essenciais do tênis profissional, isso não é verdade para Nadal, um dos maiores jogadores da história. "Minha maior batalha numa partida de tênis", diz ele, "é aquietar as vozes na minha cabeça".[37] E seus costumes peculiares na quadra, que muitos fãs acham divertidos mas estranhos, fornecem a ele um método perfeitamente razoável de fazer isso.

Ao deixar sempre seu cartão de identidade voltado para cima, organizar as garrafas perfeitamente alinhadas na frente do banco e ajeitar o cabelo pouco antes do saque, Nadal está se envolvendo em um processo chamado controle compensatório:[38] criando ordem em seu ambiente físico para obter a ordem que busca internamente. Como ele diz: "É uma forma de me colocar numa partida, organizando o ambiente ao redor para corresponder à ordem que procuro na minha cabeça."[39]

Essa tendência de estruturar elementos no nosso entorno como um amortecedor contra o falatório vai além dos contextos em que nosso desempenho está sendo avaliado. Estende-se para quaisquer espaços que ocupamos. Como resultado, os humanos infundem ordem no ambiente externo – e, por extensão, na própria mente – de várias maneiras. Algumas são muito semelhantes às de Rafael Nadal. Isso pode explicar a repercussão global de Marie Kondo e seu best-seller de 2014, *A mágica da arrumação*.[40] Sua filosofia de desobstruir nossa casa e manter apenas objetos que nos dão alegria é uma estratégia para influenciar como nos sentimos impondo ordem ao ambiente.

Mas como a organização do nosso entorno influencia o que acontece na nossa mente? Para responder a essa pergunta, é crucial entender o papel fundamental que a *percepção de controle*[41] – a convicção de que temos a capacidade de impactar o mundo da maneira como desejamos – desempenha em nossa vida.

O desejo de ter controle sobre si mesmo é uma forte motivação humana. Acreditar que temos a capacidade de controlar nosso destino influencia se tentamos atingir nossas metas,[42] quanto esforço exercemos para atingi-las e quanto tempo persistimos quando encontramos desafios. Diante de tudo isso, não surpreende que o aumento da sensação de controle esteja relacionado a benefícios que abrangem uma gama de melhorias na saúde física e no bem-estar emocional,[43] melhor desempenho na escola e no trabalho[44] e relacionamentos interpessoais mais satisfatórios.[45] Por outro lado, sentir-se fora de controle muitas vezes aumenta o nosso falatório[46] e nos impele a tentar controlá-lo.[47] É onde nos voltarmos para o nosso ambiente físico se torna relevante.

Para se sentir realmente no controle, você precisa acreditar não só que é capaz de exercer sua vontade de influenciar os resultados, mas que o mundo ao seu redor, por sua vez, é um lugar ordenado onde qualquer ação em que você se envolver terá o efeito pretendido. Ver ordem no mundo é reconfortante porque torna a vida mais fácil e mais previsível.[48]

A necessidade de ordem no mundo externo é tão forte, segundo um estudo, que, depois de relembrar um incidente que provocou falatório e se concentrar na sua falta de controle, os participantes viram padrões ilusórios em imagens.[49] Sem outras vias para simular a ordem, a mente deles os levou a imaginar os padrões. Em outro experimento, participantes que não conseguiam controlar os níveis de ruído em seus arredores foram solicitados a escolher um cartão-postal com uma borda preta e um nenúfar, que transmitia a ideia de uma estrutura, ou um cartão-postal semelhante sem borda. Na média, eles preferiram o cartão com a borda estruturada, uma referência visual para ordem.[50]

O que os cientistas descobriram, no entanto, é que, assim como Nadal, todos podemos simular um senso de ordem no mundo – e por extensão na nossa mente – organizando nosso entorno e garantindo que nosso ambiente físico esteja em conformidade com uma estrutura específica e controlável.

A coisa fascinante em buscar compensação para o caos em uma área (ou seja, a nossa mente) criando ordem em outra (ou seja, o ambiente físico) é que isso nem mesmo tem a ver com a questão específica de descartar nossa voz interna. É por isso que impor ordem no nosso ambiente é tão útil – e quase sempre fácil de fazer. E o valor de se engajar nessa prática é impressionante. Por exemplo, um experimento demonstrou que uma simples leitura sobre o mundo descrito como um lugar organizado reduz a ansiedade.[51] Sem surpresa, a pesquisa indica que pessoas que moram em bairros mais desfavorecidos – como o Robert Taylor Homes em Chicago e provavelmente as regiões do Iraque onde Suzanne Bott trabalhou – sentem mais depressão, em parte por causa da desordem que percebem ao seu redor.[52]

Na cultura contemporânea, muita gente vê as tentativas excessivamente frequentes de ordenar o ambiente como um sinal de patologia. Considere, por exemplo, um subconjunto de pessoas com transtorno obsessivo-compulsivo (TOC), fortemente motivadas a organizar as coisas de maneira ordenada.[53] O que essa pesquisa sobre controle compensatório sugere é que elas podem simplesmente estar levando o forte desejo que as pessoas têm de estabelecer ordem em seu ambiente – a fim de obter um senso de controle – ao extremo. Existe uma lógica no que fazem, ainda que falte certa contenção.

O que torna o TOC prejudicial – um distúrbio psicológico – é que a necessidade dessa compulsão por ordem no ambiente é excessiva e interfere no funcionamento normal do cotidiano. De forma análoga, nossa necessidade de ordem também pode sair de controle em nosso ambiente social mais amplo. Basta observar a recente proliferação de teorias conspiratórias[54] on-line, nas quais o caos e a turbulência de eventos são atribuídos ao plano sombrio (e ordenado) de forças diabólicas. Nesse caso, as pessoas buscam a ordem por meio de um mecanismo narrativo, mas muitas vezes em detrimento de outros (as conspirações, afinal, são geralmente falsas e baseadas na ausência de evidências).

O que as pesquisas sobre nossa necessidade de ordem e os benefícios da natureza e do arrebatamento deixam claro é quão intimamente interligado com a nossa mente nosso ambiente físico está. Ambos fazem parte da mesma tapeçaria. Estamos inseridos em nossos espaços físicos e diferentes características desses espaços ativam forças psicológicas em nós que afetam a forma como pensamos e sentimos. Agora já sabemos não só por que somos atraídos por diferentes características do nosso ambiente, mas também como podemos fazer escolhas proativas para aumentar os benefícios que derivam delas.

• • •

Em 2007, o que restava do Robert Taylor Homes foi demolido. Há muito que a cidade já havia transladado todos os moradores e o outrora famoso símbolo de deterioração urbana, segregação e desordem social foi transformado em um novo complexo de casas de renda mista e espaços comerciais e comunitários. Uma transformação tão positiva e ordenada deve despertar a admiração dos que se lembram dos crimes e da violência que os edifícios abrigaram.

Ainda não foi determinado se a nova iteração terá espaços verdes integrados em seu projeto de forma a beneficiar seus residentes, mas o legado que o complexo original deixou ainda reverbera na história de Chicago e na história da ciência. É um exemplo duradouro de como nossos ambientes desempenham um papel fundamental em moldar o que pensamos, sentimos e fazemos e da importância de assumir ativamente o controle do nosso entorno para nosso benefício.

Apesar de todo o poder de nossos ambientes, porém, não só o nosso entorno e as coisas que o preenchem podem proporcionar alívio psicológico. Como vimos com a necessidade de exercer controle, também há coisas específicas que fazemos em nosso ambiente que podem nos ajudar a controlar nossa voz interna, mas impor ordem, como faz Nadal, é apenas o começo. Os métodos à nossa disposição às vezes são tão estranhos, e tão fortes são seus efeitos, que quase parecem mágica.

capítulo sete

A magia da mente

Numa manhã de 1762, uma menina de 3 anos chamada Maria Theresia von Paradis acordou cega.

Filha de um conselheiro da imperatriz do Sacro Império Romano, Maria Theresia cresceu em Viena e, apesar da perda da visão, viveu uma vida relativamente encantadora. Um prodígio musical, destacou-se no clavicórdio, um pequeno teclado retangular, e no órgão. Seu talento, aliado à sua deficiência, atraiu a atenção e a generosidade da imperatriz, que lhe garantiu uma pensão e a melhor educação disponível. Ainda adolescente, já era uma musicista célebre, tocando nos salões mais exclusivos de Viena e em outros locais. Mozart chegou a compor um concerto para ela. No entanto, os pais de Maria Theresia não desistiram da ideia de ver a filha recuperar a visão.

Enquanto ela crescia, os médicos experimentaram uma variedade de tratamentos, administrando de tudo, desde sanguessugas a choques elétricos nos olhos de Maria Theresia, sem sucesso. Sua visão não voltou. Pior ainda, os tratamentos a deixaram com uma série de doenças. Aos 18 anos, sofria de acessos de vômito, diarreia, dores de cabeça e desmaios.

Entra em cena Franz Anton Mesmer,[1] um misterioso médico formado em Viena que se tornou bem relacionado com a elite da cidade. Afirmava ter sido pioneiro em uma intervenção médica que poderia curar uma ampla gama de doenças físicas e emocionais, alterando o fluxo de uma força imperceptível que percorria o Universo usando apenas princípios magnéticos. Mesmer curou as doenças de seus pacientes canalizando essa energia invisível com ímãs e as próprias mãos. Ele chamou essa técnica de magnetismo animal. Mais tarde, ganharia o epônimo de "mesmerismo".

Em 1777, aos 18 anos, Maria Theresia começou a se tratar com Mesmer. Durante vários meses ele tocou os olhos e o corpo da menina com seus ímãs, falando sobre o magnetismo animal e como isso a curaria. Ela acreditou, assim como seus pais, e realmente sua visão voltou milagrosamente. Não de uma vez, mas aos trancos e barrancos.

No início ela via apenas imagens borradas. Mas depois começou a distinguir entre objetos pretos e brancos. Por fim, sua sensibilidade às cores voltou. Embora sua percepção de profundidade e proporções continuasse defasada, ela gradualmente começou a distinguir rostos humanos. No entanto, em vez de enchê-la de alegria depois de todos aqueles anos, eles a assustavam, principalmente o nariz. O mundo visual havia se tornado estranho para ela. Ainda assim foi uma mudança incrível. Finalmente ela voltou a enxergar.

Resumindo a história: os pais de Maria Theresia tiveram um desentendimento dramático com Mesmer, o que acabou fazendo com que suas sessões de tratamento terminassem. Dizia-se que os pais temiam que a filha perdesse a pensão se recuperasse totalmente a visão. Outra versão sugeria que Mesmer e Maria Theresia teriam sido pegos tendo um caso ilícito. De qualquer forma, o tempo que passaram juntos acabou, Mesmer deixou Viena em meio a rumores. E, quando o médico mestre do magnetismo animal desapareceu da vida de Maria Theresia, o mesmo aconteceu com a sua visão mais uma vez.

Porém a história de Mesmer não terminou aí.

Quando saiu de Viena e se mudou para Paris, Mesmer abriu uma clínica e mais uma vez caiu nas boas graças das classes altas. Chegou a tratar da esposa do rei Luís XVI, Maria Antonieta, e um de seus irmãos. Durante os anos seguintes, a demanda pelos serviços de Mesmer tornou-se tão grande que, para aumentar seus rendimentos, ele desenvolveu um método para atender um número maior de pacientes simultaneamente: acomodava muitas pessoas de pé ou sentadas ombro a ombro em uma banheira de madeira cheia de água e pequenos fragmentos de ferro que ele magnetizava. Havia varetas de metal distribuídas pela banheira e, com música suave tocando baixinho ao fundo, os pacientes aplicavam as varetas nas partes do corpo que os incomodavam enquanto Mesmer ajustava o fluxo de energia magnética entre a vareta e o paciente.

A eficácia do tratamento de Mesmer variava de acordo com os pacientes que atendia, em alguns casos de forma significativa. Alguns sentiram pequenas pontadas de dor nas partes afetadas do corpo; alguns tinham convulsões, como se estivessem tendo ataques. Outros simplesmente se sentiram curados. Mas nem todos se sentiram melhor. Alguns tiveram outra experiência: não sentiram absolutamente nada.

Por fim, em 1784, o rei Luís já tinha ouvido falar demais sobre mesmerismo. Decretou que uma comissão real de cientistas investigasse as técnicas de Mesmer, liderada por ninguém menos que Benjamin Franklin, que na época vivia em Paris como diplomata. Desde o início a comissão se mostrou cética quanto às afirmações de Mesmer. Eles não tinham dúvidas de que algumas pessoas se beneficiavam de serem mesmerizadas. Mas simplesmente não acreditavam que a causa fosse uma força magnética invisível.

A investigação da comissão fez pouco para alterar essa opinião. Em um experimento, por exemplo, uma mulher que acreditava piamente no mesmerismo sentou-se ao lado de uma porta fechada. Do outro lado da porta, um médico formado por Mesmer fez uma aplicação da energia magnética. Quando não sabia que ele estava do outro lado, a mulher não mostrava sinais de estar mesmerizada. No momento em que o mesmo médico se revelava, a mulher começava a se agitar e se debater descontroladamente, indicando o efeito do tratamento. Muitas demonstrações semelhantes se seguiram.

Quando concluíram a investigação, Franklin e sua comissão publicaram uma crítica contundente aos métodos de Mesmer. Escreveram que o único poder de cura que observaram foi o que reside dentro da mente humana: que pessoas com expectativas de se sentir de determinada maneira podem produzir um resultado positivo – não por conta do "magnetismo animal". Mesmer estava de fato vendendo uma força que não existia, e agora, mais de duzentos anos depois, sabemos que apresentou ao mundo uma visão valiosa de uma ferramenta singular para combater o falatório que as pesquisas científicas só recentemente constataram: o poder aparentemente mágico daquilo em que acreditamos e as profundas implicações que isso tem para nossa mente e nosso corpo.

Mesmer não descobriu o magnetismo animal. Ele simplesmente ministrava um *placebo*.

De bonecas da preocupação a sprays nasais

Pergunte às pessoas o que é um placebo e a maioria delas provavelmente dirá que é basicamente nada.

Os placebos são comumente entendidos como uma substância – uma pílula de açúcar, em muitos casos – usada em pesquisas farmacêuticas para avaliar a eficácia de uma droga real. Na verdade, porém, um placebo pode ser qualquer coisa – não apenas uma pílula, mas também uma pessoa, um ambiente, até mesmo um amuleto da sorte. E o que torna os placebos tão intrigantes é que podem nos fazer sentir melhor, mesmo que não contenham ingredientes clínicos ativos.

Usamos placebos em pesquisas para verificar se um novo medicamento ou procedimento têm algum claro efeito medicinal além do simples poder da sugestão. Essa prática reconhece que a mente dispõe de um potencial de cura real, mas os placebos, por si sós, não costumam ser algo considerado como substancial. Há muito são entendidos como uma ferramenta que serve a um propósito maior, sem qualquer utilidade própria.

Isso deixa de lado um ponto importante.

Benjamim Franklin, é claro, identificou esse ponto.[2] Entendeu que os benefícios que Mesmer proporcionava aos pacientes eram reais, mesmo que o magnetismo animal não fosse. No entanto, sua percepção atemporal sobre o papel da mente na cura foi engolida pela história sensacional do próprio Mesmer. Isso perdurou até meados do século XX,[3] quando cientistas começaram a questionar a ideia de que os placebos fossem apenas um fator comparativo para as pesquisas – em essência, nada. Agora sabemos que são muito mais do que isso: uma evidência notável do entrelaçamento psicológico entre a crença e a cura, uma passagem secreta oculta para subjugar o falatório.

Os placebos fazem parte de uma antiga tradição humana, a de dotar objetos ou símbolos de "magia".[4] O selo mítico[5] do rei Salomão consiste em dois triângulos entrelaçados e acreditava-se, entre outras coisas, que afastava demônios nocivos. Da mesma forma, muito antes de se tornar sinônimo de nazismo, a suástica era considerada um símbolo de boa sorte.[6] E ainda hoje, na Guatemala, quando as crianças estão com medo, recebem um conjunto de minúsculas estatuetas vestidas com trajes maias tradicionais, chamadas de bonecas da preocupação,[7] cuja função é afastar suas apreensões.

Muita gente também desenvolve os próprios amuletos de sorte. Por exemplo, a modelo Heidi Klum leva uma bolsinha com seus dentes de leite quando viaja de avião e a agarra durante as turbulências.[8] (Estranho, eu sei, mas a ajuda.) Michael Jordan usava seu calção da faculdade por baixo do uniforme do Chicago Bulls em todos os jogos.[9] Recentemente, a prática de cura com cristais tornou-se um grande negócio[10] – um negócio de bilhões de dólares, na verdade. Em um sentido mais amplo, os placebos são muito comuns. Estaríamos enganados se considerássemos equivocadas pessoas que apreciam objetos encantados. Cientificamente falando, é bastante racional.[11]

Estudos demonstram[12] que só o fato de acreditar no poder de um placebo – um objeto encantado, a presença humana de alguém capaz de curar (como um xamã ou um médico de confiança) ou um ambiente especial – realmente nos faz sentir melhor. Por exemplo, menos cólicas estomacais em pacientes com síndrome de intestino irritável,[13] redução das crises de dor de cabeça para quem sofre de enxaqueca[14] e melhora dos sintomas respiratórios de asmáticos.[15] Embora o grau de alívio proporcionado pelos placebos varie notavelmente entre doenças e pacientes[16] – como no caso dos pacientes de Mesmer, algumas pessoas são mais naturalmente sensíveis aos placebos que outras –, em alguns casos pode ser substancial.

Os placebos são inclusive eficazes para a doença de Parkinson. Em um experimento, cientistas injetaram um novo tratamento químico promissor no cérebro de pacientes com sintomas avançados de Parkinson.[17] A esperança era de que estimulasse a produção de dopamina, cujos níveis reduzidos são a principal causa da doença. Depois de realizadas as cirurgias, os cientistas monitoraram os sintomas dos pacientes nos dois anos seguintes. À primeira vista, os resultados foram encorajadores. Os participantes que receberam a injeção apresentaram uma redução significativa de seus sintomas. Mas havia um problema. Os participantes de um grupo de "cirurgia simulada", que também tiveram o cérebro perfurado, mas não receberam a injeção – um placebo, nesse contexto – apresentaram a mesma redução nos sintomas. Como pensaram ter recebido um tratamento especial, o cérebro e o corpo deles responderam como se tivessem passado pelo mesmo procedimento. A mensagem desse e de muitos outros estudos é clara: às vezes nossa mente tem tanto poder quanto a medicina moderna.

Mas e o falatório? Afinal, Mesmer também curou pacientes que sofriam de "histeria", um termo que já foi utilizado para descrever pessoas com dificuldade de controlar emoções intensas. O placebo do magnetismo animal também os ajudou. Então será que os placebos ajudam a voz interna? Essa foi a questão que comecei a discutir um dia enquanto tomava um café com o neurocientista Tor Wager, em 2006, quando ainda estava na faculdade e ele era professor assistente recém-formado pela Universidade Columbia.

"E se pedíssemos às pessoas para inalar um spray nasal composto de solução salina?", ele sugeriu. "Vamos dizer a elas que é um analgésico.

Aposto que isso as faria se sentir melhor. E vamos também analisar o cérebro delas."

Não vou dizer que achei que Tor era louco, mas no início me senti cético. Mesmo assim, logo avançamos com o experimento.

O resultado foi o estudo em que levamos os desiludidos com o amor da cidade de Nova York ao laboratório para estudar seus cérebros. Você deve se lembrar que descobrimos uma sobreposição fascinante entre as experiências de dor emocional e física monitorando a atividade cerebral dos participantes quando olhavam para uma foto da pessoa que os havia deixado. Mas essa foi apenas a primeira parte do experimento.

Quando os participantes concluíram essa fase do estudo,[18] um pesquisador com jaleco branco os tirou do tomógrafo cerebral e os levou até uma sala no corredor. O pesquisador fechou a porta e apresentou a metade deles um spray nasal, dizendo que continha uma solução salina inofensiva que melhoraria a clareza das imagens cerebrais de ressonância magnética que esperávamos obter na fase seguinte do estudo. Os participantes borrifaram o spray duas vezes em cada narina e voltaram ao tomógrafo para uma segunda rodada de imagens do cérebro. O outro grupo foi submetido exatamente ao mesmo procedimento, mas com uma diferença crucial. O pesquisador disse que o spray nasal continha uma droga analgésica opioide que atenuaria temporariamente suas mágoas emocionais. O spray salgado foi o nosso placebo.

Os dois grupos inalaram a mesma solução salina. Mas metade deles acreditava ter consumido uma substância que aliviaria sua tristeza. Depois medimos o efeito.

Os participantes que pensaram ter inalado um analgésico relataram sentir bem menos sofrimento quando reviveram sua rejeição. Ademais, seus dados cerebrais contaram uma história semelhante: exibiram significativamente menos atividade nos circuitos sociais de dor do cérebro em comparação com os que sabiam ter inalado uma solução salina. Descobrimos que os placebos podem ajudar diretamente pessoas afligidas pelo falatório.[19] Um spray sem nada quimicamente significativo podia funcionar como um analgésico para a voz interna. Foi estranho e empolgante: nossa mente pode gerar angústia emocional e ao mesmo tempo disfarçadamente reduzir essa angústia.

As descobertas de nosso estudo complementaram outro trabalho que documenta os benefícios do placebo no gerenciamento de uma série de situações em que o falatório aflora com intensidade, como manifestações clínicas de depressão e ansiedade.[20] Em muitos casos, os benefícios não são passageiros. Por exemplo, uma grande análise de oito estudos concluiu que os benefícios de consumir um placebo para reduzir sintomas depressivos duraram vários meses.[21]

Os efeitos abrangentes dos placebos levantam a questão de por que funcionam tão milagrosamente. Mas a explicação não é nenhum milagre. Está relacionada a uma necessidade que nosso cérebro gera a cada segundo da nossa vida: expectativas.

Grandes esperanças

No dia 3 de agosto de 2012, a comediante Tig Notaro[22] subiu ao palco do Largo, em Los Angeles, e fez uma apresentação que imediatamente se tornou lendária. Quatro dias antes ela ficara sabendo que estava com câncer nos dois seios, mas esse foi apenas o clímax de uma recente série de infortúnios. Estivera gravemente doente de uma pneumonia, acabara de passar por uma separação horrível e sua mãe morrera após uma queda. Nada disso era nem um pouco engraçado, mas ela pegou o microfone e começou a falar assim mesmo.

"Boa noite", começou. "Oi. Eu estou com câncer."

A multidão riu, hesitante, esperando uma piada a seguir.

"Oi, como vocês estão? Estão todos se divertindo?", continuou Notaro. "Eu estou com câncer."

Algumas pessoas riram. Outras arquejaram. A piada era que *não era* uma piada.

Se parte de uma apresentação cômica é provocar desconforto, Tig fez exatamente isso. E foi muito desconfortável. Mas, com toda a sua genialidade, ela andou na corda bamba entre o riso e o choro e arrancou muitas risadas da plateia. Por exemplo, falou sobre como agora seus namoros on-line mudariam, ganhando uma nova urgência. "Eu estou com câncer", disse. "Agora só dá para ter conversas sérias."

A apresentação continuou nessa veia surpreendente, trágica, corajosa e hilária por 29 minutos e acabou levando Tig Notaro a um novo patamar de fama e sucesso (e, felizmente, ela venceu seu câncer). O que considero tão ilustrativo sobre essa história é a forma como ela destaca o papel essencial que as expectativas desempenham em controlar como funcionamos.

Tig sabia que conseguiria fazer as pessoas rirem mesmo falando sobre um dos tópicos mais sombrios e indutores de falatório imagináveis. Para isso, só precisava dizer as palavras certas na ordem certa, com o tom certo e as pausas certas. Sabia como fazer isso porque suas expectativas eram bem definidas – as expectativas sobre o que poderia fazer e qual seria o resultado. Se estendermos essa ideia, começaremos a perceber que todos nos baseamos em expectativas a cada segundo da nossa vida.

Você anda. Você se movimenta. Você fala. Agora pense por um segundo sobre como é capaz de se envolver nessas ações. Como determina onde pôr o pé quando anda, para onde correr para pegar uma bola ou como projeta sua voz quando fala para um grande grupo? Somos capazes de fazer essas coisas porque estamos constantemente, tanto consciente quanto subconscientemente, fazendo previsões sobre o que esperamos que aconteça a seguir e nosso cérebro se prepara para responder de acordo.

O cérebro é uma máquina de previsão que está sempre tentando nos ajudar a nos mover pelo mundo.[23] Quanto mais conseguirmos usar nossas experiências anteriores para influenciar o que nos for exigido, melhor nos sairemos. E isso não é importante só para o nosso comportamento. Também se manifesta nas experiências internas do nosso corpo,[24] que são onde os placebos entram em ação. São um truque para aproveitar o poder das expectativas para influenciar nossa mente e nossa saúde física.

Quando um médico diz que você vai se sentir melhor, isso fornece informações que podem ser usadas para prever como realmente vai se sair ao longo do tempo, especialmente se ele tiver diplomas de medicina sofisticados, usar um jaleco branco e falar com autoridade. Não é uma piada. As pesquisas mostram que recursos que você pode considerar periféricos – se um médico usa um jaleco ou não, se tem siglas anexadas aos diplomas com seu nome e até mesmo se os comprimidos que você toma são "de marca" ou genéricos – inconscientemente fortalecem nossa convicção.[25]

Ao longo da vida desenvolvemos convicções automáticas sobre como certos objetos e pessoas influenciam nossa saúde. Como os cães de Pavlov salivando, vemos uma pílula e esperamos por reflexo que consumi-la vai nos fazer sentir melhor, muitas vezes sem saber o que é ou como funciona.

Esse caminho para as expectativas e, por extensão, para os placebos, é pré-consciente. Não é produto de um pensamento rigoroso, mas uma resposta automática e por reflexo. Talvez não surpreenda que estudos mostrem que roedores e outros animais respondem a placebos por meio desse mesmo canal automático.[26] Esse tipo de resposta é adaptativa. Fornece-nos suposições muito úteis sobre como reagir de forma rápida e eficaz em uma variedade de situações. No entanto, também desenvolvemos um caminho adicional no cérebro que orienta nossas respostas: nosso pensamento consciente.

Quando sinto uma dor de cabeça e tomo um analgésico, lembro a mim mesmo que engolir a pílula vai me fazer sentir melhor. Essa percepção simples fornece ao meu cérebro algo inestimável: ajuda a silenciar todas as dúvidas que eu possa ter sobre se a dor de cabeça vai passar. *E se nada ajudar?*, digo para mim mesmo. *A dor é tão forte. O que posso fazer?* Tomar a pílula me dá esperança de que meu desconforto vai diminuir e isso muda minha conversa interna. De fato, pesquisas indicam que essas avaliações conscientes baseiam-se no mesmo modo padrão do cérebro em que se instala a nossa voz interna.

Em um sentido mais simples, o que acontece é que eu tenho uma convicção. Essa convicção molda minhas expectativas, o que por sua vez me faz sentir melhor. As pessoas nos dizem coisas que mais tarde dizemos a nós mesmos, e também temos experiências das quais extraímos ideias, e esse processo cria uma infraestrutura de expectativa no cérebro. Nossas convicções específicas dependem das pessoas que conhecemos e das coisas que acontecem conosco. Mas o que realmente acontece no cérebro que permite que essa "magia" do placebo se manifeste?

Como nossas convicções dizem respeito a tantos tipos diferentes de emoção, resposta fisiológica e experiência, não existe uma via neural específica que crie o efeito placebo. Por exemplo, assim como acreditar que você vai sentir menos dor está relacionado a níveis mais baixos de ativação dos circuitos de dor no cérebro e na medula espinhal,[27] pensar que está tomando um vinho mais caro pode aumentar a ativação dos circuitos de prazer do cérebro.[28] Acreditar que está consumindo um achocolatado gorduroso (versus saudável) reduz os níveis de grelina, o hormônio da fome.[29] Na verdade, quando você acredita em alguma coisa, sua maquinaria neural gera frutos, aumentando ou reduzindo os níveis de ativação de outras partes do cérebro ou do corpo relacionadas aos processos sobre os quais está formando convicções.

Sem dúvida existem limites para os efeitos dos placebos. Não se pode acreditar cegamente numa maneira de curar qualquer doença. Muitas intervenções médicas agregam um valor além dos placebos, e agora sabemos que os efeitos do placebo tendem a ser mais fortes para as alterações psicológicas[30] (como o falatório) do que para as físicas. Mas, apesar dessas advertências, o poder dos placebos é profundo e inegável. Na verdade, cada vez mais evidências indicam que os placebos podem atuar como catalisadores, aumentando os benefícios de certos medicamentos e tratamentos.[31]

O problema, porém, é que a passagem secreta dos placebos é de difícil acesso. Para que funcione, temos que ser enganados e acreditar que estamos consumindo uma substância ou nos engajando num comportamento com propriedades curativas reais. Fora do campo das pesquisas, onde as pessoas que participam de estudos são normalmente informadas sobre a possibilidade de ingerir um placebo, mentir seria antiético. Então ficamos numa situação difícil: não podemos mentir para nós mesmos sobre o remédio que tomamos, o que significa que, no caso dos placebos, temos acesso a uma ferramenta da qual não podemos tirar proveito.

Ou podemos?

Se os placebos são fundamentalmente sobre mudança de convicções, o que aconteceria se pudéssemos identificar outras formas de alterar as expectativas das pessoas que não envolvessem mentir? Informações de fontes confiáveis são um dispositivo poderoso e persuasivo.[32] Se eu quiser convencê-lo de algo sobre o qual você é cético, fatos e ciência geralmente ajudam. Ted Kaptchuk e sua equipe de Harvard capitalizaram essa ideia em 2010, quando publicaram um estudo que destruiu a forma como o mundo científico via os placebos.[33]

Primeiro eles se fixaram numa doença comum que já havia demonstrado responder bem aos placebos: a síndrome de intestino irritável (SII). Quando Kaptchuk e seus colegas reuniram seus participantes com SII no centro médico onde realizavam seu estudo, eles explicaram o que são placebos e como e por que funcionam. Em teoria, só saber sobre a pílula de placebo deveria ter mudado as expectativas dos participantes, o que por sua vez deveria ter estimulado a redução de seus sintomas de SII. E foi exatamente o que aconteceu.

Ao longo do experimento de 21 dias, os participantes que foram informados sobre a ciência por trás dos efeitos do placebo antes de virem a saber que estavam tomando um placebo mostraram menos sintomas de SII e maior alívio em comparação com os que foram informados sobre os placebos e não tomaram nenhum comprimido. Compreender como um placebo poderia melhorar a SII realmente fez exatamente isso.

Intrigado com as estranhas novas possibilidades de placebos não ilusórios, meu laboratório conduziu nosso próprio experimento para constatar se as descobertas de Kaptchuk se generalizariam para problemas da mente, além de problemas intestinais.[34] Usamos um método semelhante e dividimos os participantes em dois grupos, um dos quais foi informado sobre a ciência dos placebos. Na verdade, nós dissemos a eles: "Se você acha que uma substância pode ajudá-lo, ela vai ajudar." Em seguida ministramos um placebo – mais uma vez, um spray nasal – e repetimos que aquilo os faria se sentir melhor se eles acreditassem que teria efeito.

Em seguida estimulamos suas emoções negativas mostrando imagens repulsivas, como cenas de sangue e vísceras (os participantes concordaram previamente em ver essas imagens). Sem dúvida, os participantes do grupo do placebo vivenciaram menos sofrimento. Também exibiram menos atividade emocional no cérebro dois segundos depois de verem uma imagem perturbadora.

Vários laboratórios aplicaram essa linha de pesquisa em outras condições. Por exemplo, foi demonstrado que os placebos não ilusórios[35] melhoram os sintomas de alergia, dores lombares, transtorno de déficit de atenção e hiperatividade e depressão. Ainda precisamos realizar mais estudos para entender quão fortes e duradouros os efeitos do placebo não ilusório podem ser. Mas essas descobertas abrem uma nova série de possibilidades de como as pessoas podem lidar com a dor física e emocional, e demonstram como as convicções afetam intensamente nossa voz interna e nossa saúde. Revelam ainda outra coisa importante: o papel que a cultura desempenha na transmissão de práticas na luta contra o falatório.

Muitas de nossas convicções são transmitidas pela cultura de onde viemos, como as expectativas que temos em relação a médicos e a amuletos da sorte e todos os tipos de outras influências supersticiosas do nosso ambiente. Nesse sentido, as famílias, comunidades, religiões e outras formas de cultura que nos moldam também nos fornecem ferramentas para lidar com o falatório. No entanto, as convicções não são a única ferramenta "mágica" que nossas culturas nos transmitem. Elas oferecem também outra abordagem: os rituais.

A magia de pescar com tubarões

A Primeira Guerra Mundial foi muito boa para Bronislaw Malinowski.[36]

Um polonês de 30 anos, estudante de antropologia da London School of Economics, em 1914 ele viajou para a Nova Guiné para conduzir um trabalho de campo sobre os costumes das tribos nativas. Mas, assim que chegou, eclodiu a Primeira Guerra Mundial. Isso deixou Malinowski numa situação politicamente embaraçosa, pois tecnicamente ele estava atrás das linhas inimigas. Era cidadão do Império Austro-Húngaro, agora em guerra com a Grã-Bretanha. E a Nova Guiné era território australiano e, portanto, aliada da Grã-Bretanha. Consequentemente, Malinowski não podia voltar para a Inglaterra nem para sua casa na Polônia, mas as autoridades locais resolveram deixá-lo continuar seu trabalho. Assim, Malinowski ficou fora da guerra, no remoto Hemisfério Sul, onde embarcou em sua busca para compreender a cultura e a mente humanas.

O trabalho mais importante de Malinowski surgiu dos dois anos que passou nas ilhas Trobriand, um arquipélago próximo à Nova Guiné, morando com as tribos de lá para vivenciar sua cultura em primeira mão. De óculos, botas de cano alto, roupas brancas e calva clara, destacava-se dos ilhéus, que eram morenos, andavam de peito nu e mascavam noz de areca,[37] um estimulante semelhante ao café que deixava seus dentes vermelhos. Mesmo assim, Malinowski conseguiu ser bem aceito e entender a fundo as tradições daquele povo, inclusive a "magia" envolvida em suas práticas de pesca.

Quando saíam em expedições de pesca em lagoas rasas e seguras, os ilhéus simplesmente pegavam suas lanças e redes de pesca, pulavam em suas canoas e navegavam pelos canais da ilha até encontrarem seus locais preferidos. Mas quando pescavam em águas imprevisíveis, infestadas pelos tubarões que viviam em torno da ilha, os ilhéus se comportavam de maneira diferente. Antes de partir, faziam oferendas de comida aos seus ancestrais, esfregavam ervas nas canoas e entoavam feitiços mágicos. Então, quando se encontravam em mar aberto, faziam novos encantamentos mágicos.

"Eu te chuto, tubarão", entoavam em seu idioma, o kilivila. "Mergulhe fundo na água, tubarão. Morra, tubarão, morra."[38]

É óbvio que os nativos não estavam realmente se envolvendo com magia. A elaborada coreografia de preparação que realizavam antes de embarcar nas perigosas pescarias transcende as particularidades de sua tribo. Estavam fazendo algo totalmente prático, num nível emocional que remete à psicologia dos seres humanos.[39]

Estavam preparando um ritual – outra das ferramentas para mitigar o falatório.

Quando as pessoas estão pesarosas, as instituições religiosas prescrevem a prática de ritos de luto, como banhos rituais, enterro dos mortos e cerimônias funerais ou memoriais. Quando os cadetes que estudam na Academia Militar dos Estados Unidos em West Point[40] passam por estresse antes de um exame, são informados de que usar seus uniformes, andar pelo campus e girar as esporas nas costas de uma estátua de bronze de um general da Guerra Civil chamado John Sedgwick vai melhorar seu desempenho na prova. Cada vez mais os rituais abrem caminho no mundo dos negócios também.[41] Quando a Southwest Airlines mudou sua marca em 2014, com um novo logotipo em forma de coração nas laterais de seus aviões, os pilotos começaram a tocá-lo ao subir a bordo e isso se disseminou por toda a empresa, presumivelmente como uma fonte de conforto para enfrentar os riscos diários inevitáveis de voar.

Todos esses são exemplos de rituais transmitidos culturalmente, mas provavelmente você pode pensar em vários rituais pessoais que criou sozinho ou herdou de outras pessoas. O jogador de beisebol Wade Boggs,[42] presente no Hall da Fama, lançava exatamente 150 bolas rasteiras, dava arrancadas velozes precisamente às 19h17 (antes do começo do jogo, às 19:35) e comia frango antes de cada partida. Para citar outro exemplo, durante 33 anos Steve Jobs se olhava no espelho todas as manhãs, se perguntava se aquele seria o último dia de sua vida e se ele se sentiria feliz com o que faria.[43] Rituais idiossincráticos desse tipo não são de forma alguma restritos a gente famosa. Em um estudo, os psicólogos organizacionais de Harvard Michael Norton e Francesca Gino[44] descobriram que a maioria dos rituais que as pessoas realizavam quando passavam por uma perda significativa, como a morte de um ente querido ou o fim de um relacionamento romântico, eram específicos de cada uma delas.

Independentemente de os rituais em que nos envolvemos serem personalizados ou coletivos, pesquisas indicam que, quando atormentada pelo falatório, muita gente se volta instintivamente para essa forma de comportamento aparentemente mágico e que isso propicia alívio para a voz interna.[45]

Um estudo realizado em Israel durante o conflito no Líbano de 2006 constatou que as mulheres que viviam em zonas de guerra que recitavam salmos ritualisticamente diminuíam sua ansiedade, ao contrário das que não faziam isso.[46] Para os católicos, rezar o rosário é um amortecedor de ansiedade semelhante.[47] Os rituais também podem ajudar no cumprimento de metas. Um experimento descobriu que realizar algum ritual antes das refeições ajudou mulheres que lutavam para ter uma dieta mais saudável a consumir menos calorias que mulheres que tentavam usar a técnica da atenção plena enquanto comiam.[48]

Rituais também influenciam positivamente o desempenho em situações de alta pressão, como em exames de matemática ou numa sessão de karaokê (muito mais divertida, mas ainda mais causadora de falatório). Um experimento memorável fez os participantes cantarem a música épica da banda Journey, "Don't Stop Believin'", na frente de outra pessoa. As que realizaram algum ritual de antemão sentiram menos ansiedade, registraram uma frequência cardíaca mais baixa e cantaram melhor que os participantes que não fizeram o mesmo.[49] Lição a aprender: comece a acreditar em rituais.

É importante ressaltar que os rituais não são simplesmente hábitos ou rotinas. Vários aspectos os distinguem de costumes mais prosaicos que preenchem a nossa vida.[50]

Primeiro, eles tendem a consistir em uma sequência rígida de comportamentos normalmente executados na mesma ordem. É diferente de um hábito ou rotina, em que a sequência de etapas dos comportamentos pode ser mais livre ou mudar com frequência. Considere uma de minhas rotinas diárias como exemplo. Quando acordo todas as manhãs, faço três coisas: tomo um comprimido para a tireoide (minha glândula está um pouco hipoativa), escovo os dentes e tomo uma xícara de chá. Apesar de o meu médico preferir que eu tome meu remédio primeiro (pois se metaboliza melhor com o estômago vazio), nem sempre isso acontece. Em alguns dias, o chá vem primeiro. Em outros, escovo os dentes assim que acordo. E tudo bem. Não me sinto obrigado a repetir a sequência de comportamentos numa ordem específica e sei que a ordem deles não terá um efeito significativo sobre mim, para o bem ou para o mal.

Agora vamos comparar o que faço todas as manhãs com o que a nadadora olímpica australiana Stephanie Rice faz antes de cada competição.[51] Ela gira os braços oito vezes, ajusta os óculos de natação quatro vezes e toca sua touca quatro vezes. Sempre. Essa progressão de comportamentos é uma invenção pessoal e peculiar de Stephanie, assim como muitos outros rituais personalizados. Na verdade, as etapas específicas que compõem os rituais muitas vezes não têm conexão aparente com o objetivo mais amplo que visam realizar. Por exemplo, não está claro por que ajustar os óculos e tocar no boné quatro vezes pode fazer Stephanie nadar mais rápido. Mas para ela isso tem significado, o que nos leva à segunda característica dos rituais.

Os rituais são imbuídos de significado. São carregados de significado porque têm um propósito subjacente crucial, seja colocar uma pedrinha na lápide de um cemitério para homenagear os mortos, participar de uma dança da chuva para molhar as plantações ou tomar a comunhão. Os rituais assumem um significado maior em parte porque nos ajudam a transcender nossas preocupações, conectando-nos com forças maiores que nós. Servem ao mesmo tempo para ampliar nossa perspectiva e melhorar nossa sensação de conexão com outras forças e pessoas.

A razão pela qual os rituais são tão eficazes em nos ajudar a administrar nossa voz interna é que são um coquetel para reduzir o falatório que nos afeta de várias maneiras. Por um lado, desviam nossa atenção do que estiver nos incomodando: os esforços demandados da memória de trabalho para realizar as tarefas do ritual deixam pouco espaço para ansiedade e manifestações negativas da voz interna. Isso pode explicar por que rituais antes das partidas abundam nos esportes, proporcionando uma distração no momento mais repleto de ansiedade.

Muitos rituais também nos fornecem um senso de ordem, pois executamos comportamentos que podemos controlar. Por exemplo, não podemos controlar o que acontecerá com nossos filhos ao longo da vida deles e só podemos protegê-los até certo ponto, o que é uma fonte de falatório para muitos pais. Mas, quando eles nascem, podemos batizá-los ou realizar uma grande variedade de rituais comemorativos que nos dão uma ilusão de controle.

Como os rituais são imbuídos de significado e muitas vezes se relacionam a propósitos ou poderes que transcendem nossas preocupações individuais, também nos fazem sentir relacionados a comunidades e a valores importantes que satisfazem nossas necessidades emocionais e servem como proteção contra o isolamento. Essa característica simbólica dos rituais também costuma nos arrebatar, o que amplia nossa perspectiva e minimiza quão envolvidos estamos com nossas preocupações. Às vezes os rituais também ativam o mecanismo do placebo: se acreditamos que vão nos ajudar, então eles nos ajudam.

Um dos aspectos mais intrigantes dos rituais é que muitas vezes nos envolvemos neles sem mesmo saber. Um experimento realizado na República Tcheca descobriu, por exemplo, que induzir estudantes universitários a sentir altos níveis de ansiedade os levou subsequentemente a se envolver em comportamentos de limpeza mais ritualizados.[52] Achados semelhantes são evidentes entre crianças. Em um experimento, crianças de 6 anos que eram socialmente rejeitadas pelos colegas tinham mais probabilidade de se envolver em comportamentos repetitivos e rituais que outras crianças do estudo que não eram rejeitadas.[53]

Tenho experiência pessoal com um ritualismo semelhante. Enquanto escrevia este livro, quando me via olhando para a tela do computador sem saber o que escrever, com meu fluxo interno de pensamentos repleto de dúvidas sobre se algum dia terminaria o que estava fazendo, de repente me peguei indo à cozinha para lavar a louça, limpar a pia e depois organizar meus papéis espalhados pela mesa do escritório (uma nova série de comportamentos que minha esposa achou estranhos, mas a que não se opôs, dada minha predileção habitual por fazer bagunça e não arrumar as coisas). Só quando comecei fazer pesquisas para este capítulo percebi que aquele era o meu ritual para lidar com o desespero do processo de escrever e com a data de entrega que se aproximava.

Essa origem orgânica dos rituais parece ser um produto da notável capacidade do cérebro de monitorar se estamos alcançando nossos objetivos desejados[54] – para nossos propósitos, o objetivo de evitar uma voz interna que se torna dolorosamente negativa. Segundo muitas teorias influentes, o cérebro é configurado como um termostato, para detectar quando surgem discrepâncias entre o estado corrente e o estado desejado. Quando uma discrepância é registrada, é uma sinalização para agirmos a fim de baixar a temperatura. E o envolvimento em rituais é uma maneira de fazer isso.

Devo enfatizar que não precisamos esperar uma estimulação inconsciente para nos envolvermos em rituais quando somos incomodados pelo falatório. Podemos também fazer uma opção deliberada, como faço agora sempre que me sinto empacado no trabalho (minha cozinha e o escritório de casa nunca estiveram tão limpos). Existem várias maneiras de fazer isso. Uma das formas é criar nossos rituais para nos engajarmos antes ou depois de um evento estressante ou para nos ajudarem a lidar com o falatório. Experimentos mostram que orientar as pessoas a se envolverem em atos completamente arbitrários, mas de estrutura rígida, traz benefícios. Por exemplo, no estudo do karaokê em que os participantes tiveram que cantar "Don't Stop Believin", da Journey, pediu-se que desenhassem uma imagem de seus sentimentos, salpicassem sal, contassem até cinco em voz alta, amassassem o papel e então jogassem no lixo. A prática desse simples e inédito ritual já melhorou seu desempenho.[55]

Os rituais em que vemos as pessoas se envolverem em ambientes de laboratório, no entanto, são despojados de significado cultural e sabemos que causam benefícios adicionais por propiciarem uma sensação de arrebatamento, conexão social e sentimentos de transcendência. Com isso em mente, outra via já pronta para aproveitar as vantagens dos rituais no enfrentamento do falatório é confiar nos que são transmitidos por nossa cultura – pela nossa família, pelo local de trabalho e pelas instituições sociais mais generalizadas às quais pertencemos. Você pode recorrer à sua religião e ir a uma missa ou até mesmo aos peculiares, porém significativos, rituais da sua família. Por exemplo, eu faço panquecas para meus filhos todos os domingos de manhã, quando voltamos da academia. Não importa de onde vêm os rituais ou como exatamente se formam; eles ajudam de qualquer forma.

A magia da mente

O poder dos placebos e rituais não reside em forças sobrenaturais (embora alguns acreditem que sim, o que de forma alguma diminui os benefícios de tais práticas). Seus benefícios residem na capacidade de ativar as ferramentas de combate ao falatório que temos dentro de nós.

Considerando sua força, é interessante notar que, apesar de muita gente desenvolver os próprios rituais e placebos personalizados, as culturas a que pertencemos nos fornecem uma grande variedade dessas técnicas. A cultura costuma ser comparada ao ar invisível que respiramos, e muito do que inalamos são crenças e práticas que moldam nossa mente e nosso comportamento. Você pode até pensar na cultura como um sistema para fornecer ferramentas que ajudem as pessoas a combater o falatório. No entanto, nossa compreensão científica dessas ferramentas está avançando continuamente, o que levanta uma questão: como podemos disseminar esses conhecimentos recém-descobertos e integrá-los à nossa cultura como um todo?

Nunca tinha na verdade pensado nessa questão até uma aluna minha levantar a mão durante uma aula.

O que ela me perguntou mudou tudo.

Conclusão

"Por que *só agora* nós estamos aprendendo isso?"

Essa pergunta, formulada em tom exasperado, foi feita por uma aluna chamada Arielle no último dia de um seminário que eu estava ministrando. Nos últimos três meses, tinha passado minhas tardes de terça-feira com 28 alunos de graduação da Universidade de Michigan no subsolo do Departamento de Psicologia, discutindo o que a ciência nos ensinava sobre a capacidade das pessoas de controlar suas emoções, inclusive o falatório causado pela voz interna. A tarefa final dos alunos era vir à aula para me fazer perguntas. Era a chance de levantarem suas últimas dúvidas antes do fim do curso e, na maioria dos casos, antes de se formarem e passarem à fase seguinte de suas vidas. Era a sessão que eu mais esperava a cada semestre que lecionava. As discussões sempre geravam ideias interessantes, algumas das quais levaram até a novos estudos. Quando entrei na sala de aula naquela tarde ensolarada, mal sabia que aquela última aula acrescentaria uma nova dimensão ao meu trabalho como cientista.

Arielle levantou a mão assim que a aula começou, demandando uma resposta. Aquiesci, mas não tinha entendido bem a pergunta. "Você pode ser mais específica?", pedi.

"Nós passamos o semestre inteiro aprendendo maneiras de nos sentirmos e nos sairmos melhor, mas a maioria de nós vai se formar este ano", foi sua resposta. "Por que ninguém nos ensinou essas coisas antes, quando poderíamos realmente ter nos beneficiado delas?"

Depois de dar um curso algumas vezes, geralmente a gente já sabe quais perguntas esperar. Mas essa era nova. Senti-me como se tivesse batido de cara numa parede que não sabia estar lá.

Remeti a pergunta de Arielle ao resto da classe (sim: técnica clássica de professores). Os alunos começaram a levantar a mão e apresentar ideias. Mas eu mal ouvia. Estava encalacrado nos meus pensamentos, fixado no que ela dissera. A verdade era que eu não tinha uma resposta.

Afinal a aula acabou, despedi-me dos alunos e eles partiram para seu futuro. Mas o que Arielle tinha abordado ficou cravado na minha mente como uma farpa.

Ao longo de minha carreira – e também ao longo daquele semestre – eu tinha conhecido muita gente desesperada para fugir de sua voz interna por se sentir mal com isso. É compreensível. Como sabemos, o falatório pode poluir nossos pensamentos e nos encher de emoções dolorosas que com o tempo prejudicam tudo que consideramos precioso – nossa saúde, nossas esperanças e nossos relacionamentos. Se você pensa na sua voz interna como um algoz, é natural fantasiar sobre silenciá-la permanentemente. Porém, na verdade, perder sua voz interna é a última coisa que você iria querer se seu objetivo é viver uma vida funcional e satisfatória.

Embora muitas culturas hoje apregoem que se deve viver no presente, nossa espécie não evoluiu para funcionar dessa forma o tempo todo.[1] Ao contrário. Nós desenvolvemos a capacidade de manter nosso mundo interno pulsando com pensamentos, memórias e imaginações alimentados pela voz interna. Graças às nossas incessantes conversas internas, somos capazes de manter informações na mente, refletir sobre nossas decisões, controlar nossas emoções, simular futuros alternativos, relembrar o passado, acompanhar nossos objetivos e atualizar continuamente as narrativas pessoais que sustentam nosso senso de quem somos. Essa incapacidade de escapar totalmente da nossa mente é o principal motor da nossa engenhosidade: as coisas que construímos, as histórias que contamos e o futuro com que sonhamos.

É um erro, no entanto, avaliar nossa voz interna só quando ela apoia as nossas emoções. Mesmo quando as conversas que temos conosco tornam-se negativas, isso por si só não é uma coisa ruim. Por mais que possa doer, a capacidade de sentir medo, ansiedade, raiva e outras formas de angústia é muito útil em pequenas doses, pois nos mobiliza a reagir de forma eficaz a mudanças no nosso ambiente.[2] Ou seja, muitas vezes a voz interna é valiosa, não apesar da dor que nos causa, mas justamente por causa dela.

Existe um motivo para sentir dor. A dor nos alerta sobre o perigo, nos estimulando a agir. Esse processo nos proporciona uma tremenda vantagem de sobrevivência. Na verdade, todos os anos nasce um pequeno número de pessoas com uma mutação genética que impossibilita a sensação de dor.[3] Uma das consequências é a de geralmente morrerem jovens. Como não sentem dor, por exemplo, ante o desconforto de uma infecção, do calor intenso de água escaldante ou da agonia de um osso fraturado, elas não sabem que precisam de ajuda nem têm consciência de sua extrema vulnerabilidade.

Esse fenômeno reflete o aspecto indispensável do lado mais áspero da nossa voz interna. Ela pode turvar nossos pensamentos com emoções negativas, mas, se não tivéssemos essa importante capacidade autorreflexiva, teríamos dificuldades em aprender, em mudar e em melhorar. Por mais constrangedor que seja quando faço uma piada da qual ninguém ri num jantar, sou grato por depois poder repetir o que deu errado na minha cabeça para não passar por novo vexame e não voltar a envergonhar minha mulher.

Ninguém desejaria viver a vida sem uma voz interna que incomode de vez em quando. Seria como enfrentar o mar em um barco sem leme.

Quando Jill Bolte Taylor, a neuroanatomista que sofreu um derrame debilitante, viu seu fluxo verbal diminuir até parar junto com seu falatório, ela se sentiu estranhamente exultante, mas também vazia e desconectada. Precisamos da dor periódica das nossas conversas internas. O desafio não é eliminar totalmente os estados negativos. É não se deixar consumir por eles.

O que me traz de volta à minha aluna Arielle.

O que ela quis dizer quando fez sua pergunta foi o seguinte: por que não havia aprendido mais cedo na vida como reduzir os surtos de falatório? Claro, assim como todos nós, ela dispõe de muitas das ferramentas de que precisava para controlar sua voz interna. Mas, até assistir às minhas aulas, não tinha um guia explícito de como administrá-la. Por isso a pergunta de Arielle me fez pensar se estávamos fazendo o suficiente para transmitir esse conhecimento.

Algumas semanas depois daquela aula, minha filha mais velha, com 4 anos na época, voltou da escola aos prantos. Disse que um menino de sua classe estava pegando os brinquedos dela e isso a estava deixando triste. Enquanto ela contava o que aconteceu e eu tentava acalmá-la, a pergunta de Arielle voltou à minha cabeça. Lá estava eu, um suposto especialista em controlar emoções, diante de uma crise da própria filha. Certo, ela só tinha 4 anos, quando o circuito neural subjacente à capacidade de controlar emoções ainda está em desenvolvimento. Mas ainda assim aquele pensamento me perturbou.

Fiquei imaginando o que ela e suas amigas estavam aprendendo na escola e se iriam desenvolver as ferramentas que Arielle achava que lhe haviam sido negadas até assistir às minhas aulas. Será que dali a dezoito anos minha filha faria a um professor a mesma pergunta que Arielle me fez? Ou, mais provavelmente, será que faria a pergunta para mim, o que me faria sentir ainda pior?

Durante os dias e meses que se seguiram, refleti sobre a surpreendente variedade de maneiras de se distanciar, de falar consigo mesmo, de alavancar e melhorar as relações pessoais, de se beneficiar do nosso ambiente e de usar placebos e rituais para aproveitar a capacidade da mente de curar a si mesma. Eram técnicas ocultas à vista de todos, dentro de nós e ao nosso redor. E, embora nenhuma ferramenta específica seja uma panaceia, todas têm o potencial de baixar a temperatura quando nossa voz interna esquenta demais. Mas essas descobertas pareciam chegar até o mundo.

Foi aí que me pus a trabalhar e recrutei um grupo de cientistas e educadores com a mesma mentalidade para transmitir o que sabemos sobre a ciência do gerenciamento da emoção em um curso que pudesse se incluir nos currículos dos ensinos fundamental e médio.

Depois de viajar pelo país e me reunir com centenas de educadores e cientistas, no outono de 2017 lançamos um estudo piloto. Seu objetivo era introduzir pesquisas sobre como controlar nossas emoções – inclusive como controlar nossa voz interna – em um currículo[4] e avaliar as implicações de ensinar aos alunos essas informações para sua saúde, seu desempenho e seu relacionamento com os outros. Nós o chamamos de Projeto Caixa de Ferramentas.

E, felizmente, nossos esforços estão começando a dar frutos.

No estudo piloto,[5] um grupo cultural e socioeconomicamente diverso de cerca de 450 alunos de uma escola pública nos Estados Unidos participou do curso prático que planejamos. Os resultados foram empolgantes: as crianças cujo currículo incluía a caixa de ferramentas, que aprenderam técnicas como escrever um diário, conversas internas distanciadas e reformulação orientada a desafios, realmente as usaram em partes importantes da vida cotidiana. E isso é só o começo. Já estamos planejando para breve realizar um estudo muito mais abrangente, com cerca de 12 mil alunos.

• • •

A metáfora da caixa de ferramentas não descreve apenas o currículo que meus colegas e eu desenvolvemos. Também descreve o que espero que você extraia deste livro.

O distanciamento é uma ferramenta, seja se imaginando como uma mosca na parede, viajando mentalmente no tempo ou visualizando a si mesmo e seus apuros como fisicamente menores em sua mente. Bem como a conversa interna distanciada: você pode falar consigo mesmo ou sobre si mesmo usando pronomes que não sejam em primeira pessoa ou o próprio nome e pode normalizar seus desafios com o "você" universal. Podemos ser uma ferramenta para a voz interna de pessoas que lutam contra o falatório em suas vidas – e elas podem fazer o mesmo por nós –, evitando a corruminação e encontrando um equilíbrio entre fornecer um apoio afetivo e ajudar os outros a reformularem construtivamente seus problemas quando suas emoções arrefecem. Também podemos ajudar de maneiras invisíveis que aliviam as tensões de pessoas sob estresse que podem se sentir inseguras quanto às suas capacidades. Essas abordagens contra o falatório também se aplicam às formas como interagimos em nossa vida digital cada vez mais imersiva, embora existam comportamentos on-line que sejam igualmente importantes evitar: uso passivo em vez de ativo das mídias sociais e fazer coisas sem empatia que não faríamos off-line.

Outro subconjunto de ferramentas vem do mundo complexo ao nosso redor. A Mãe Natureza é uma verdadeira caixa de ferramentas para nossa mente, contendo maneiras agradáveis e eficazes de restaurar as ferramentas de atenção não tão úteis para reduzir o falatório e fortalecer nossa saúde. Isso pode nos deixar arrebatados, assim como muitas experiências que não se encontram só em picos de montanhas, mas também em espetáculos, em locais de culto e até mesmo em momentos especiais na nossa casa (só lembrar quando cada uma das minhas filhas disse "papa" pela primeira vez já faz com que eu me sinta arrebatado).

Impor ordem ao nosso redor também pode ser reconfortante e nos fazer sentir melhor, pensar com mais clareza e ter um desempenho em níveis mais elevados. E ainda há as nossas convicções, cuja maleabilidade pode funcionar a nosso favor. Por meio do aparato neural da expectativa, as pílulas de açúcar que sabemos serem apenas pílulas de açúcar podem melhorar nossa saúde, assim como a prática de rituais, tanto os que são culturalmente ordenados quanto os que nós mesmos criamos. O poder da mente para curar a si mesma é, de fato, mágico (no sentido inspirador, não sobrenatural).

Agora você sabe dessas diferentes ferramentas, mas é fundamental criar a sua caixa de ferramentas. Esse é o seu enigma pessoal, e é por isso que subjugar o falatório pode ser tão desafiador, mesmo quando conhecemos as pesquisas.

A ciência nos mostrou muito, mas ainda há mais a aprender.

Só estamos começando a entender como as várias estratégias para controlar o falatório funcionam juntas para pessoas diferentes em situações diferentes,[6] ou como funcionam quando usadas alternadamente.[7] Por que algumas ferramentas funcionam melhor para uns do que para outros? Cada um de nós precisa descobrir quais ferramentas considera mais eficazes.

Administrar nossa voz interna tem o potencial não só de ajudar a nos tornarmos mais lúcidos, mas de fortalecer os relacionamentos com amigos e entes queridos, nos ajudar a oferecer melhor apoio às pessoas de quem gostamos, construir mais organizações e empresas em que as pessoas não se desgastem tanto, projetar ambientes mais inteligentes que ressaltem a natureza e a ordem e repensar as plataformas digitais para proporcionar conexão e empatia. Resumindo, mudar as conversas que temos com nós mesmos tem o potencial de mudar nossa vida.

• • •

Meu interesse pela introspecção veio do meu pai e, quando as pessoas ouvem a história de como ele costumava me encorajar a "olhar para dentro" e "fazer a pergunta a mim mesmo" na minha infância, muitas vezes se perguntam se faço o mesmo com minhas filhas quando se sentem desalentadas.

A resposta a essa pergunta é não. Certamente não. Eu não sou o meu pai. Mas isso não significa que não fale com minhas filhas sobre como elas podem lidar com os seus falatórios. Como pai que deseja que as filhas sejam felizes, saudáveis e bem-sucedidas, e como cientista que sabe como é importante aproveitar as conversas que temos com nós mesmos para atingir esses objetivos, não consigo pensar em nenhuma lição mais importante para ensinar a elas. Só que eu faço isso do meu jeito.

Ponho um band-aid no cotovelo delas quando estão desanimadas e digo que o band-aid vai fazer se sentirem melhor se acreditarem nisso. Levo-as para passear no arboreto esplêndido e verdejante perto de casa quando se sentem tristes e aconselho-as a se concentrarem no panorama geral quando me contam sobre suas brigas mais recentes no parquinho ou na sala de aula. E quando estão agindo de forma irracional, pelos motivos mais idiotas, peço que digam a si mesmas o que imaginam que a mãe ou eu diríamos. E faço cócegas nelas.

Uma das coisas que se tornaram claras para mim enquanto escrevia este livro é a influência que eu e minha mulher exercemos nas conversas que nossas filhas têm consigo mesmas. Nós somos uma de suas ferramentas, no sentido de as apoiarmos quando estão perdidas no falatório e de criarmos a cultura em que estão imersas em casa. Estamos moldando suas vozes internas, da mesma forma que elas afetam cada vez mais as nossas.

Normalmente as coisas que digo às minhas filhas para dominarem o falatório ajudam. Às vezes, devo admitir, elas reviram os olhos, como eu às vezes fazia com meu pai. Mas, com o tempo, percebi que as duas começaram a implementar muitas dessas práticas por conta própria, alternando entre as diferentes técnicas que têm à disposição de formas específicas enquanto descobrem o que funciona. Dessa maneira, espero poder ajudar minhas filhas a se beneficiarem das conversas que tiveram com elas mesmas ao longo da vida.

Também lembro a minhas filhas e a mim mesmo que, ao mesmo tempo que pode ser útil criar uma distância tranquilizadora entre nossos pensamentos e nossas experiências quando assolados pelo falatório, quando se trata de alegria, fazer o contrário – imergir nos momentos mais deliciosos da vida – nos ajuda a saboreá-los melhor.

A mente humana é uma das maiores criações da evolução, não só por ter permitido que nossa espécie sobrevivesse e prosperasse, mas também por nos ter dotado de uma voz na nossa cabeça não somente capaz de celebrar os melhores momentos como também de dar sentido aos piores momentos, apesar dos inevitáveis pesares da vida. É essa voz, não o ruído do falatório, que todos devemos ouvir.

Nunca mais tive contato com Arielle desde nossa última aula, portanto ela não sabe tudo que sua pergunta inspirou. Mas saberá, se vier a ler este livro, outra consequência daquele último encontro. Este livro é mais uma tentativa de divulgar as descobertas que a ciência já revelou, mas que ainda não se enraizaram na nossa cultura. Em certo sentido, há muitas Arielles no mundo – pessoas famintas de aprender sobre a própria mente, de onde surge o falatório, e como ele pode ser controlado.

Então eu escrevi este livro para elas.

E para mim.

E para você.

Porque ninguém deveria andar pela própria casa às três da manhã segurando um taco de beisebol da liga infantil.

As ferramentas

A voz na sua cabeça analisa as diferentes ferramentas que existem para ajudar a resolver a tensão entre ser aprisionado em espirais de pensamentos negativos e pensar de forma clara e construtiva. Muitas dessas técnicas envolvem mudar a maneira como pensamos para controlar as conversas que temos com nós mesmos. Mas a ideia central deste livro é que também existem estratégias para controlar a voz interna fora de nós, nos nossos relacionamentos pessoais e ambientes físicos. Alguns cientistas identificaram como essas ferramentas funcionam isoladamente. Mas você precisa descobrir por si mesmo qual combinação dessas práticas funciona melhor no seu caso.

Para ajudá-lo nesse processo, resumi as técnicas discutidas neste livro, organizando-as em três seções: ferramentas que você pode implementar por conta própria, ferramentas que alavancam seus relacionamentos com os outros e ferramentas que envolvem o seu ambiente. Cada seção começa com as estratégias que você provavelmente achará mais fácil implementar quando assolado pelo falatório, evoluindo para aquelas que podem exigir um pouco mais de tempo e esforço.

Ferramentas que você pode implementar por conta própria

A capacidade de "dar um passo para trás" na câmara de eco da nossa mente para podermos adotar uma perspectiva mais abrangente, mais calma e objetiva é uma ferramenta importante para combater o falatório. Muitas das técnicas revisadas nesta seção ajudam a fazer isso, embora algumas – como a prática de rituais e acreditar em superstições – funcionem por outros canais.

1. *Use a conversa interna distanciada.* Uma maneira de criar distância quando se está perdido no falatório envolve a linguagem. Quando estiver tentando superar uma experiência difícil, use o seu nome e "você" para se referir a si mesmo. Essa prática está associada a menor ativação das redes cerebrais associadas à ruminação e resulta em melhor desempenho sob estresse, em pensamentos mais sábios e em menos emoções negativas.

2. *Imagine-se aconselhando um amigo.* Outra maneira de pensar sobre sua experiência a partir de uma perspectiva distanciada é imaginar o que diria a um amigo que estivesse passando pelo mesmo problema que você. Pense no conselho que daria a essa pessoa, em seguida aplique-o a si mesmo.

3. *Amplie sua perspectiva.* Falatório envolve um foco restrito nos problemas que estamos enfrentando. Um antídoto natural para isso envolve ampliar nossa perspectiva. Para fazer isso, pense em como a experiência que o preocupa se compara a outros eventos adversos pelos quais você ou outros já passaram, como ela se encaixa no esquema mais abrangente da sua vida e do mundo e/ou como gente que você admira reagiu à mesma situação.

4. *Reformule sua experiência como um desafio.* O tema deste livro é que você tem a capacidade de mudar a maneira como pensa sobre

suas experiências. O falatório costuma ser acionado quando interpretamos uma situação como uma ameaça – algo que não podemos controlar. Para ajudar sua voz interna, reinterprete a situação como um desafio com o qual pode lidar; por exemplo, lembrando-se de como conseguiu se sair bem de situações semelhantes no passado ou usando a conversa interna distanciada.

5. *Reinterprete a resposta do seu corpo ao falatório.* Os sintomas corporais de estresse (uma perturbação estomacal antes de um encontro ou de uma apresentação, por exemplo) costumam ser estressantes por si sós (por exemplo, o falatório faz seu estômago roncar, o que mantém o falatório, o que leva seu estômago a continuar roncando). Quando isso acontecer, lembre-se de que sua resposta corporal ao estresse é uma reação evolutiva adaptativa que melhora o desempenho sob condições de alto estresse. Em outras palavras, diga a si mesmo que sua respiração rápida e ofegante, os batimentos cardíacos acelerados e as mãos suadas não existem para sabotá-lo, mas para ajudá-lo a responder a um desafio.

6. *Normalize sua experiência.* Saber que não está sozinho em sua experiência pode ser uma maneira eficiente de debelar o falatório. Existe uma ferramenta linguística para ajudar a fazer isso: usar a palavra "você" para se referir às pessoas em geral ao pensar/ falar sobre experiências negativas. Isso ajuda a refletir sobre suas experiências com um distanciamento saudável e deixa claro que o que aconteceu não é exclusivamente individual, e sim uma característica da experiência humana em geral.

7. *Faça uma viagem mental no tempo.* Outra forma de se distanciar e ampliar sua perspectiva é pensar em como se sentirá daqui a um mês, um ano ou até mais. Nesse futuro, você vai olhar para trás e o que o está incomodando parecerá muito menos perturbador. Isso ressalta a impermanência de seu estado emocional atual.

8. *Mude o ponto de vista.* Ao pensar em uma experiência negativa, visualize o evento em sua mente do ponto de vista de uma mosca na parede vendo a cena. Tente entender por que o seu "eu distante" está se sentindo daquela maneira. A adoção dessa perspectiva faz as pessoas se concentrarem menos nas características emocionais da própria experiência e mais em reinterpretar o evento com uma visão mais esclarecedora que leve a uma solução. Você também pode se distanciar por meio de imagens visuais, imaginando-se se apartando da cena perturbadora, como uma câmera se afastando até a cena se reduzir ao tamanho de um selo postal.

9. *Escreva de forma expressiva.* Escreva sobre seus pensamentos e sentimentos mais profundos relacionados a sua experiência negativa por quinze a vinte minutos por dia, durante um a três dias consecutivos. Deixe-se levar enquanto anota seu fluxo de pensamentos; não se preocupe com a gramática ou a ortografia. Focar em sua experiência da perspectiva de um narrador proporciona um distanciamento da experiência, o que o ajuda a entender o que sentiu e a melhorar como se sente ao longo do tempo.

10. *Adote a perspectiva de um observador neutro.* Se estiver sendo incomodado por um falatório por conta de uma interação negativa que teve com alguém ou com um grupo de pessoas, assuma a perspectiva de um observador neutro e imparcial que está motivado a encontrar a melhor solução para todas as partes envolvidas. Isso reduz as emoções negativas, acalma uma voz interna agitada e melhora a qualidade do nosso relacionamento com pessoas com quem tivemos interações negativas, inclusive nossos parceiros amorosos.

11. *Use um amuleto da sorte ou adote uma superstição.* Acreditar que um objeto ou comportamento supersticioso ajuda a aliviar seu falatório muitas vezes tem exatamente esse efeito, ao controlar o

poder de expectativa do cérebro. É importante ressaltar que não é preciso acreditar em forças sobrenaturais para se beneficiar dessas ações. Entender como elas aumentam o poder de cura do cérebro é suficiente.

12. *Faça um ritual.* Realizar um ritual – uma sequência fixa de comportamentos infundidos de significado – proporciona um senso de ordem e controle que pode ser útil para dominar o falatório. Embora muitos dos rituais em que nos envolvemos (por exemplo: oração silenciosa, meditação) nos sejam transmitidos por nossa família e nossa cultura, realizar rituais criados por você mesmo também pode ser eficaz para acalmar o falatório.

Ferramentas que envolvem outras pessoas

Quando pensamos no papel que os outros têm na nossa vida para ajudar a controlar nossa voz interna, há duas questões a serem consideradas. A primeira é como podemos *dar* apoio a quem estiver incomodado pelo falatório. E a segunda é como podemos *receber* apoio quando nos encontramos em situação semelhante.

Ferramentas para dar apoio a outros

1. *Considere as necessidades emocionais e cognitivas das pessoas.* Quando alguém procura o apoio de outras pessoas para lidar com o falatório, em geral há duas necessidades em jogo: por um lado, atenção e apoio (necessidades emocionais); por outro, conselhos concretos sobre como resolver o problema e seguir em frente (necessidades cognitivas). Considerar essas *duas* necessidades é vital para sua capacidade de acalmar o falatório de outras pessoas. Em termos concretos, envolve não apenas reconhecer com empatia o que os outros estão vivenciando,

mas também ampliar sua perspectiva, dar esperança e normalizar a experiência. Isso pode ser feito pessoalmente ou por meio de mensagens, redes sociais e outras formas de comunicação digital.

2. *Seja invisível no seu apoio.* Conselhos sobre como reduzir o falatório de alguém podem sair pela culatra quando não são solicitados; ameaçam a sensação de autoeficácia e autonomia dos outros. Mas isso não significa que não haja outras maneiras de ajudar quem estiver sofrendo com o falatório e não pede ajuda. Em tais situações, dê seu apoio de forma invisível, sem que as pessoas percebam que você as está ajudando. Há muitas formas de fazer isso. Uma das abordagens envolve uma ajuda prática e dissimulada, como limpar a casa dessa pessoa sem ela ter pedido. Outra envolve tentar ampliar as perspectivas dos outros indiretamente, falando em termos gerais sobre outras pessoas que lidaram com experiências semelhantes (por exemplo, "É incrível como todo mundo acha estressante ter filhos") ou pedindo aconselhamento de alguém mais, porém sem demonstrar que os conselhos são para ajudar a pessoa necessitada. Por exemplo, se um colega meu estiver com dificuldades para se relacionar com um aluno de pós-graduação e nos encontrarmos com outros orientadores, posso perguntar casualmente se alguém ali já teve problemas de relacionamento com algum aluno e, em caso afirmativo, como administrou a situação.

3. *Diga a seus filhos para fingir que são super-heróis.* Essa estratégia, popularizada na mídia como "efeito Batman", é uma técnica de distanciamento particularmente útil para crianças vivenciando emoções intensas. Peça para fingirem que são um super-herói ou personagem de desenho animado que admiram e depois incentive-as a se referirem a si mesmas usando o nome desse personagem quando estiverem diante de uma situação difícil. É uma forma de ajudar as crianças a se distanciarem.

4. *Faça contato físico afetuosamente (mas com respeito).* Sentir o toque caloroso de alguém que amamos, seja um aperto de mão ou em forma de abraço, nos conscientiza de que temos pessoas na nossa vida em quem podemos confiar – resultando numa reformulação psicológica para aliviar o falatório. Um toque afetuoso também desencadeia inconscientemente a liberação de endorfinas e outras substâncias químicas no cérebro, como a oxitocina, que reduzem o estresse. Claro que, para ser eficaz, o toque afetuoso precisa ser desejável.

5. *Seja o placebo de outra pessoa.* Nossas convicções podem ser fortemente influenciadas por outros, inclusive por nossas expectativas sobre a eficácia com que podemos lidar com o falatório e quanto tempo ela vai durar. Você pode utilizar esse método de cura interpessoal apresentando à pessoa a quem está aconselhando uma visão otimista de que suas condições vão melhorar, o que muda as expectativas sobre como seu falatório irá se desenvolver.

Ferramentas para receber apoio dos outros

1. *Crie uma rede de conselheiros.* Encontrar as pessoas certas com quem conversar, que sejam capazes de satisfazer suas necessidades emocionais e cognitivas, é o primeiro passo para obter apoio de outros. Dependendo do domínio no qual você está vivenciando o falatório, pessoas diferentes podem estar equipadas de maneira específica para ajudá-lo. Um colega pode ser hábil em aconselhá-lo sobre problemas no trabalho, mas seu parceiro ou sua parceira podem ser mais úteis para aconselhá-lo sobre dilemas interpessoais. Quanto mais gente você tiver para buscar apoio em crises de falatório em domínios específicos, melhor. Portanto, crie um quadro diversificado de consultores para casos de falatório, um grupo de confidentes a quem recorrer para obter apoio em diferentes áreas de sua vida que podem ser afetadas por uma voz interna descontrolada.

2. *Procure contato físico.* Você não precisa ficar esperando um toque afetuoso ou contato físico de apoio de alguém. Sabendo dos benefícios resultantes, você mesmo pode tomar a iniciativa, pedindo um abraço ou um simples aperto de mão a pessoas de confiança na sua vida. Nem é necessário tocar em outro ser humano para colher esses benefícios. Abraçar um objeto inanimado reconfortante, como um ursinho de pelúcia ou um cobertor de apego, também é útil.

3. *Olhe para a foto de um ente querido.* Pensar em pessoas que se importam conosco nos lembra que podemos recorrer a elas em busca de apoio em momentos de angústia emocional. É por isso que olhar para fotos de entes queridos pode acalmar nossa voz interna quando estamos perdidos no falatório.

4. *Faça um ritual com outras pessoas.* Embora muitos rituais possam ser realizados a sós, muitas vezes há um benefício adicional resultante da realização de um ritual na presença de outros (por exemplo: meditação ou oração comunitárias, rotina antes de entrar em campo com a equipe ou até mesmo fazer um brinde com amigos da mesma maneira, todas as vezes dizendo sempre as mesmas palavras). Isso ainda proporciona uma sensação de apoio e transcendência do eu que reduz sentimentos de solidão.

5. *Minimize o uso passivo das redes sociais.* Acessar de forma voyeurística os feeds de notícias de terceiros no Facebook, no Instagram e em outras plataformas de mídia social pode desencadear espirais de pensamentos autodestrutivos e sentimentos de inveja. Uma maneira de atenuar essas consequências é restringir o uso passivo desses espaços. Use essas tecnologias *ativamente* em vez de se conectar com outras pessoas em momentos oportunos.

6. *Use as redes sociais para obter apoio.* Apesar de as mídias sociais terem o poder de instigar o falatório, também oferecem uma

oportunidade sem precedentes de ampliar o tamanho e o alcance de sua rede de apoio. No entanto, ao usar esses meios para procurar apoio, seja cauteloso ao compartilhar impulsivamente seus pensamentos negativos. Fazer isso implica o risco de compartilhar coisas de que você pode se arrepender mais tarde e que podem perturbar outras pessoas.

Ferramentas que envolvem o meio ambiente

1. *Organize o seu ambiente.* Quando o falatório aflora, muitas vezes sentimos como se estivéssemos perdendo o controle. Nossas espirais de pensamentos nos controlam, e não o contrário. Quando isso acontecer, você pode aumentar sua sensação de controle impondo ordem ao seu redor. A organização do seu ambiente pode assumir várias formas. Otimizar seu espaço em casa ou no trabalho, fazer uma lista e arranjar os diferentes objetos que o cercam são exemplos comuns. Encontre sua maneira de organizar seu espaço que o ajude a ter uma sensação de ordem mental.

2. *Exponha-se mais a espaços verdes.* Passar um tempo em espaços verdes ajuda a reabastecer as reservas limitadas de atenção do cérebro, que são úteis para combater o falatório. Faça um passeio por uma alameda arborizada ou um parque quando estiver se sentindo inquieto. Se isso não for possível, assista a um vídeo de natureza no seu computador, observe uma fotografia de uma paisagem verdejante ou até mesmo ouça uma gravação com sons da natureza. Você pode rodear o espaço em que vive e trabalha com folhagens para criar ambientes que sejam benéficos para a voz interna.

3. *Procure experiências arrebatadoras.* O arrebatamento nos possibilita transcender nossas preocupações atuais ao colocar os problemas em perspectiva. Obviamente, as experiências arrebatadoras variam de pessoa para pessoa. Para algumas, é apreciar uma paisagem

deslumbrante. Para outras, é a lembrança de uma criança realizando um feito incrível ou pode ser contemplar uma obra de arte notável. Descubra o que inspira um sentimento de arrebatamento em você e procure cultivar essa emoção quando perceber que seu diálogo interno está em parafuso. Também pode pensar em criar espaços ao seu redor que suscitem sentimentos de arrebatamento cada vez que olha para eles.

Agradecimentos

A semente de *A voz na sua cabeça* foi plantada 37 anos atrás, quando meu pai começou a me incentivar a "olhar para dentro". Sua voz foi uma companhia constante enquanto escrevia este livro.

Agradeço aos meus alunos, colaboradores e colegas (há muitos de vocês para citar). Sem vocês, não haveria *A voz na sua cabeça*. Trabalhar com vocês foi um privilégio. Espero que este livro faça outras pessoas se beneficiarem de sua sabedoria da mesma forma que eu.

É difícil imaginar como poderia terminar este projeto sem o apoio da minha família. Minha esposa, Lara, que pacientemente me ouviu falar sobre *A voz na sua cabeça* todos os dias por vários anos, leu cada palavra e nunca parou de me incentivar. Estremeço ao pensar onde as crianças estariam sem ela (provavelmente esquecidas na escola, com roupas esfarrapadas, famintas, se perguntando por que me esqueci de ir buscá-las). Eu também estaria perdido. Tenho certeza de que meu sogro, Basil, não tinha ideia de em que estava se metendo quando se ofereceu para me assessorar sempre que eu precisasse. Basta dizer que aceitei a oferta. Obrigado por seu amor e apoio infatigáveis. Mãe, Irma, Karen, Ian, Lila e Owen, obrigado por aguentarem minhas ausências e não me criticarem (muito) por trabalhar nas férias. Amo todos vocês.

Doug Abrams, meu extraordinário agente literário, não é apenas brilhante, habilidoso e alto. Ele tem um coração de ouro. Seu desejo de tornar o mundo um lugar melhor é inebriante. Doug teve uma visão clara de *A voz na sua cabeça* antes de mim e trabalhou incansavelmente para dar vida ao projeto. Sua voz foi outra companhia muito bem-vinda em todo o processo. Aaron Shulman começou como meu professor de redação e acabou se tornando um amigo próximo. Ensinou-me a escrever para um público mais amplo, desvendou os segredos de encontrar ótimas histórias, aprimorou minha prosa quando eu precisava de um impulso e me ajudou a levar o manuscrito até a linha de chegada na reta final. Foi meu guia literário consumado. Lara Love forneceu feedback incisivo em cada capítulo do livro, explicou pacientemente como funciona a indústria editorial e passou incontáveis horas batendo papo comigo. Seu calor e sua sabedoria tornaram divertido escrever este livro. Trabalhar com Tim Duggan, meu editor na Penguin Random House, foi quase um sonho. Perspicaz, paciente e empático, defendeu *A voz na sua cabeça* desde o momento em que começamos a trabalhar juntos e nunca mais parou. Sua experiência editorial me fez recuar aqui e ir mais fundo ali e transformou o meu manuscrito. Sou eternamente grato pela oportunidade de termos trabalhado juntos. Espero que façamos isso de novo.

Pensar em todas as pessoas que contribuíram para *A voz na sua cabeça* é comovente. Joel Rickett, meu editor no Reino Unido, me proporcionou um feedback importante, orientando-me enquanto eu trabalhava no livro, e seu incentivo para estudar como a voz em nossa cabeça se manifesta nos sonhos continua sendo um dos meus tópicos favoritos. Will Wolfslau leu todos os capítulos e fez inúmeras sugestões que melhoraram a forma final de *A voz na sua cabeça*. Aubrey Martinson (e Will) cuidou do manuscrito durante o processo de publicação, mantendo-me atualizado sobre o progresso em cada etapa do caminho. Molly Stern defendeu *A voz na sua cabeça* desde o momento em que leu a proposta. Rachel Klayman, Emma Berry e Gillian Blake deram contribuições excepcionais em vários capítulos. Sou muito grato pelas sugestões que aumentaram a profundidade e a amplitude de *A voz na sua cabeça*. Finalmente, Evan Nesterak é um prodigioso verificador de fatos. Sua meticulosidade me ajudou a dormir tranquilo, sabendo que todos os detalhes das histórias que relatei foram confirmados.

A Idea Architects é uma agência literária repleta de mentes perspicazes apaixonadas pelo que fazem. Obrigado, Rachel Neuman, Ty Love, Cody Love, Janelle Julian, Boo Prince, Mariah Sanford, Katherine Vaz, Kelsey Sheronas, Esme Schwall Weigand e o restante da equipe por toda a sua ajuda. Na Penguin Random House, Steve Messina, Ingrid Sterner, Robert Siek, Linnea Knollmueller, Sally Franklin, Elizabeth Rendfleisch, Chris Brand, Julie Cepler, Dyana Messina e Rachel Aldrich. Em Ebury, na Penguin Random House UK, Leah Feltham e Serena Nazareth. Abner Stein e a Marsh Agency ajudaram a divulgar *A voz na sua cabeça* no mundo todo. Agradeço o trabalho árduo de Caspian Dennis, Sandy Violette, Felicity Amor, Sarah McFadden, Saliann St. Clair, Camilla Ferrier, Jemma McDonagh e Monica Calignano no projeto, junto com o resto das equipes de ambas as agências.

Walter Mischel faleceu antes que pudesse ler *A voz na sua cabeça*. Sua influência permeia as páginas deste livro. Özlem Ayduk e eu somos amigos íntimos e parceiros de pesquisa desde o primeiro dia da pós-graduação. Sua amizade eterna e seu apoio me motivaram ao longo do projeto. *A voz na sua cabeça* ganhou muito com sua sabedoria.

Angela Duckworth é a cientista mais ocupada que conheço. Mesmo assim, sempre retornava minhas ligações (em geral, minutos depois de eu ligar) e nunca deixou de fornecer conselhos sábios e encorajamento sincero. David Mayer ouviu pacientemente as histórias que eu tinha para contar. Jason Moser foi um grande parceiro de brainstorming, acrescentando uma perspectiva clínica aguçada sobre várias questões com as quais me engalfinhei (no livro, não pessoalmente). Quando conheci Jamil Zaki Mal na pós-graduação, mal sabia que acabaríamos escrevendo livros ao mesmo tempo. Ele é o consultor de *A voz na sua cabeça* por excelência.

Adam Grant, Susan Cain, Dan Pink, Dan Heath, Jane McGonigal, Maria Konnikova, Adam Alter, Elissa Epel, Sonja Lyubomirsky, Dave

Evans, Tom Boyce, James Doty, John Bargh, Scott Sonenshein e Andy Molinsky foram todos grandes apoiadores deste projeto desde o início. Obrigado a todos por suas palavras gentis.

Dezenas de pessoas generosas me contaram suas histórias incríveis. Obrigado. Sem elas, *A voz na sua cabeça* não seria o que é.

Tive a sorte de trabalhar com colegas tão brilhantes quanto generosos com seu tempo. John Jonides, Susan Gelman, Oscar Ybarra, Luke Hyde, Jacinta Beeher, Gal Sheppes, Daniel Willingham, David Dunning, Steve Cole, Ariana Orvell, Marc Berman, Rudy Mendoza Denton, Andrew Irving, Ming Kuo, Amie Gordon, Marc Seery, Scott Paige, Lou Penner, Nick Hoffman, Dick Nisbett, Shinobu Kitayama, Stephanie Carlson, Rachel White, Craig Anderson, Janet Kim, Bernard Rimé, Walter Sowden, Philippe Verduyn e Tor Wager propiciaram um valioso feedback ao longo do processo de escrita. Também gostaria de agradecer à Universidade de Michigan, uma instituição que incentiva seu corpo docente a fazer "grandes" e importantes perguntas. Sem o seu apoio, grande parte das pesquisas sobre as quais discorro em *A voz na sua cabeça* não teria sido possível. Também sou grato ao National Institutes of Health, à National Science Foundation, à Riverdale Country School, ao Character Lab, ao Facebook e à John Templeton Foundation por seu apoio. Claro que as opiniões apresentadas neste livro são minhas; não refletem necessariamente as opiniões dessas organizações.

Finalmente, agradeço a Maya e Dani. A pior parte de trabalhar neste livro (de longe) foi o tempo que deixamos de passar juntos. Obrigado por sua paciência e seu amor. Agora já estou de volta ao normal!

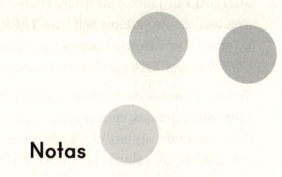

Notas

Epígrafes

1. FALSANI, Cathleen Falsani. "Transcript: Barack Obama and the God Factor Interview". *Sojourners*, 27 de março de 2012, disponível em: <sojo.net/articles/transcript-barack-obama-and-god-factor-interview>.

2. HARRIS, Dan. *10% mais feliz: Como aprendi a silenciar a mente, reduzi o estresse e encontrei o caminho para a felicidade – Uma história real*. Rio de Janeiro: Sextante, 2015.

Introdução

1. CBS Evening News. "Pain of Rejection: Real Pain for the Brain". CBS News, 29 de março de 2011, disponível em: <www.cbsnews.com/news/pain-of-rejection-real-pain-for-the-brain/>. O trecho pode ser visto em: <selfcontrol.psych.lsa.umich.edu/wp-content/uploads/2017/08/Why-does-a-broken-heart-physically-hurt.mp4>.

2. METCALFE, Janet e KOBER, Hedy. "Self-Reflective Consciousness and the Projectable Self". In: TERRACE, H. S. e METCALFE, J. (orgs.) *The Missing Link in Cognition: Origins of Self-Reflective Consciousness*. Oxford: Oxford University Press, 2005, pp. 57-83.

3. Todos os pontos mencionados neste parágrafo são detalhados nos próximos capítulos, com as referências apresentadas quando discutidos. Para uma argumentação de como o falatório contribui para o envelhecimento celular, ver a nota 57 do capítulo dois.

4. KILLINGSWORTH, Matthew A. e GILBERT, Daniel T. "A Wandering Mind Is an Unhappy Mind". *Science* 330 (2010), p. 932; FELSMAN, Peter et al. "Being Present: Focusing on the Present Predicts Improvements in Life Satisfaction but Not Happiness". *Emotion* 17 (2007), pp. 1047-1051; KANE, Michael J. et al. "For Whom the Mind Wanders, and When, Varies Across Laboratory and Daily-Life Settings". *Psychological Science* 28 (2017), pp. 1271-1289. Como deixa claro o artigo de Kane e colegas, a proporção do diálogo interno varia de indivíduo para indivíduo, é claro. Os números que menciono no capítulo se referem a médias, como a maioria das outras estatísticas que apresento em *A voz na cabeça*.

5. Um artigo publicado em 2001 provocou uma explosão de pesquisas sobre o "modo padrão" ou "estado padrão": RAICHLE, Marcus E. et al. "A Default Mode of Brain Function". *Proceedings of the National Academy of Sciences of the United States of America* 98 (2001), pp. 676-682. Pesquisas subsequentes vincularam a atividade do modo padrão a devaneios mentais: MASON, Malia F. et al. "Wandering Minds: The Default Network and Stimulus-Independent Thought". *Science* 315 (2007), pp. 393-395. Ver também CHRISTOFF, Kalina et al. "Experience Sampling During fMRI Reveals Default Network and Executive System Contributions to Mind Wandering". *Proceedings of the National Academy of Sciences of the United States of America* 106 (2009), pp. 8719-8724.

6. Como explico no capítulo um, nosso padrão verbal não se restringe ao raciocínio verbal. Também podemos, por exemplo, nos envolver em raciocínios espaço-visuais quando nossa mente devaneia. Entretanto o raciocínio verbal constitui o componente central do devaneio mental. Por exemplo, em um dos primeiros estudos rigorosos sobre este tópico, Klinger e Cox concluíram que "o conteúdo do pensamento em geral é acompanhado por certo grau de monólogo interior", que eles definiram como "Eu estava falando comigo mesmo no decorrer de todo o pensamento". Observaram ainda que "os monólogos interiores são no mínimo um aspecto tão prevalente no fluxo de pensamentos quanto a imagética visual". Ver KLINGER, Eric e COX, W. Miles. "Dimensions of Thought Flow in Everyday Life". *Imagination, Cognition, and Personality* 7 (1987), pp. 105-128. Ver também HEAVEY, Christopher L. e HURLBURT, Russell T. "The Phenomena of Inner Experience". *Consciousness and Cognition* 17 (2008), pp. 798-810; e STAWARCZYC, David; CASSOL, Helena; e D'ARGEMBEAU, Arnaud. "Phenomenology of Future-Oriented Mind-Wandering Episodes". *Frontiers in Psychology* 4 (2013), pp. 1-12.

7. EIFRING, Halvor. "Spontaneous Thought in Contemplative Traditions" In: CHRISTOFF, K. e FOX, K. C. R. (orgs.). *The Oxford Handbook of Spontaneous Thought: Mind-Wandering, Creativity, and Dreaming*. Nova York: Oxford University Press, 2018, pp. 529-538. Eifring conceitualiza o pensamento espontâneo como uma espécie de devaneio mental que, conforme observado na nota anterior, em geral envolve um monólogo interno. De maneira mais abrangente, a ideia de que o discurso interno tem um papel proeminente na história do pensamento religioso vem sendo discutida por diversos estudiosos. Cook observa, por exemplo, que "a atribuição de vozes a fontes divinas na experiência religiosa contemporânea é indiscutível": COOK, Christopher C. H. *Hearing Voices, Demonic and Divine*. Londres: Routledge, 2019. Para outras argumentações, ver: SMITH, Daniel B. Smith. *Muses, Madmen and Prophets: Hearing*

Voices and the Borders of Sanity. Nova York: Penguin Books, 2007; LUHRMANN, M. T.; NUSBAUM, Howard; e THISTED, Ronald. "The Absorption Hypothesis: Learning to Hear God in Evangelical Christianity". *American Anthropologist* 112 (2010), pp. 66-78; FERNYHOUGH, Charles. *The Voices Within: The History and Science of How We Talk to Ourselves*. Nova York: Basic Books, 2016; e DAVIES, Douglas J. "Inner Speech and Religious Traditions". In: BECKFORD, James A. e WALLISS, John (orgs.) *Theorizing Religion: Classical and Contemporary Debates*. Aldershot, Inglaterra: Ashgate Publishing, 2006, pp. 211-223.

8. MAIJER, K. et al. "Auditory Hallucinations Across the Lifespan: A Systematic Review and Meta-Analysis". *Psychological Medicine* 48 (2018), pp. 879-888.

9. NETSELL, Ron e BAKKER, Klaas. "Fluent and Dysfluent Inner Speech of Persons Who Stutter: Self-Report". Manuscrito não publicado. Universidade do Missouri, 2017. Para mais discussão, ver: PERRONE-BERTOLOTTI M. et al. "What Is That Little Voice Inside My Head? Inner Speech Phenomenology, Its Role in Cognitive Performance, and Its Relation to Self-Monitoring". *Behavioural Brain Research* 261 (2014), pp. 220-239; e FERNYHOUGH, Charles, *op. cit.* (2016). Há evidências, contudo, de que pessoas que gaguejam cometem erros no discurso interno da mesma forma que quando falam em voz alta quando são solicitadas a pensar em palavras do tipo trava-língua: "Investigating the Inner Speech of People Who Stutter: Evidence for (and Against) the Covert Repair Hypothesis". *Journal of Communication Disorders* 44 (2011), pp. 246-260.

10. Surdos que usam linguagem de sinais também "falam consigo mesmos", mas a maneira como manifestam seu discurso interno apresenta ao mesmo tempo semelhanças e diferenças em relação a quem ouve. Ver: WILSON, Margaret e EMMOREY, Karen. "Working Memory for Sign Language: A Window into the Architecture of the Working Memory System". *Journal of Deaf Studies and Deaf Education* 2 (1997, pp. 121-130; PERRONE-BERTOLOTTI et al.

"What Is That Little Voice Inside My Head?"; e LOEVENBRUCK, Helene et al. "A Cognitive Neuroscience View of Inner Language: To Predict and to Hear, See, Feel". In: LANGLAND-HASSAN, P. e VICENTE, Agustin (orgs.) *Inner Speech: New Voices*. Nova York: Oxford University Press, 2019, pp. 131-167. Um estudo de imagens do cérebro descobriu, por exemplo, que as mesmas regiões do córtex pré-frontal responsáveis pelo discurso interno de quem ouve se ativam quando se pede a indivíduos totalmente surdos que concluam silenciosamente uma frase (por exemplo, Eu sou...") usando a linguagem de sinais internamente. Ver McGUIRE, Philip K. et al. "Neural Correlates of Thinking in Sign Language". *NeuroReport* 8 (1997), pp. 695-698. Essas descobertas são coerentes com pesquisas que demonstram uma sobreposição de sistemas cerebrais responsáveis pelo uso da linguagem falada e de sinais em amostragens que incluem surdos e não surdos. Para entender como as linguagens falada e de sinais podem ter uma base neural comum, é importante considerar o fato de que os dois tipos de linguagem são regidos por séries *idênticas* de princípios organizacionais (por exemplo, morfologia, sintaxe, semântica e fonologia). Ver PETITTO, Laura Ann et al. "Speech-Like Cerebral Activity in Profoundly Deaf People Processing Signed Languages: Implications for the Neural Basis of Human Language". *Proceedings of the National Academy of Sciences of the United States of America* 97 (2000), pp. 13961-13966.

11. Korba (KORBA, Rodney J. "The Rate of Inner Speech". *Perceptual and Motor Skills* 71, 1990, pp. 1043-1052) pediu aos participantes que registrassem o "discurso interno" que usavam para resolver problemas de forma verbal e depois enunciarem a solução em voz alta num discurso normal. Os participantes verbalizaram a solução silenciosamente aproximadamente onze vezes mais rápido do que conseguiram expressar em "discurso expressivo". Como demonstra esse estudo, apesar de podermos pensar em sentenças inteiras, o discurso interno também pode se dar numa forma compacta que acontece muito mais rapidamente do que quando falamos em voz alta. Para mais discussões, ver JONES, Simon McCarthy e FERNYHOUGH,

Charles. "The Varieties of Inner Speech: Links Between Quality of Inner Speech and Psychopathological Variables in a Sample of Young Adults". *Consciousness and Cognition* 20 (2011), pp. 1586-1593.

12. Defini "discursos anuais do estado da União dos presidentes contemporâneos dos Estados Unidos" como todas as apresentações a partir de 2001 até a última data em que os dados estão disponíveis, 2020. Ver PETERS, Gerhard. "Length of State of the Union Address in Minutes (from 1966)". In: WOOLLEY, John T. e PETERS, Gerhard (orgs.). *The American Presidency Project.* Santa Monica, CA: University of California, 1999-2020, disponível em: <https://www.presidency.ucsb.edu/node/324136/>.

13. Ao longo da história os psicólogos têm usado termos diferentes para se referirem a processos ostensivamente semelhantes relacionados ao falatório (por exemplo, "ruminação", "processamento pós-evento", "pensamentos intrusivos", "estresse crônico" e "preocupação"). Embora em alguns casos diferenças sutis caracterizem essas formas repetitivas de pensamento negativo (ou seja, ruminação tende a focar no passado, enquanto preocupação se refere ao futuro), os cientistas costumam falar sobre elas como um único construto de "perseveração cognitiva" ou "pensamentos negativos persistentes". Neste livro usei o termo "falatório" para captar esse conceito. Para discussões sobre essas questões, ver: BROSSCHOT, Jos F.; GERIN, William; e THAYER, Julian F. "The Perseverative Cognition Hypothesis: A Review of Worry, Prolonged Stress-Related Physiological Activation, and Health". *Journal of Psychosomatic Research* 60 (2006), pp. 113-124; e WATKINS, Edward R. "Constructive and Unconstructive Repetitive Thought". *Psychological Bulletin* 134 (2008), pp. 163-206.

Capítulo um: Por que falamos com nós mesmos

1. Para o escopo de dados do projeto, ver a página de Irving na internet na Universidade de Manchester: www.research.manchester.ac.uk/

portal/en/researchers/andrew-irving(109e5208-716e-42e8-8d4f-578c9f556cd9)/projects.html?period=finished.

2. "Interview: Dr. Andrew Irving & 'New York Stories'". Wenner-Gren Foundation, 10 de junho de 2013. blog.wennergren.org/2013/06/interview-dr-andrew-irving-new-york-stories/; e IRVING, Andrew. *The Art of Life and Death: Radical Aesthetics and Ethnographic Practice*. Nova York: Hau Books, 2017.

3. Para uma discussão do trabalho de campo de Irving na África, ver: IRVING, Andrew. "Strange Distance: Towards an Anthropology of Interior Dialogue". *Medical Anthropology Quarterly* 25 (2011), pp. 22-44; e BROWNSTONE, Sydney. "For 'New York Stories', Anthropologist Tracked 100 New Yorkers' Inner Monologues Across the City". *Village Voice,* 1º de maio de 2013.

4. Thomas Suddendorf e Michael C. Corballis, "The Evolution of Foresight: What Is Mental Time Travel, and Is It Unique to Humans?". *Behavioral and Brain Sciences* 30 (2007): 299-351.

5. Irving percebeu que, apesar da variedade de coisas em que os participantes pensavam, ficou surpreso com o número de pessoas que pensava sobre tópicos negativos como instabilidade econômica e terrorismo. Ver BROWNSTONE. "For 'New York Stories', Anthropologist Tracked 100 New Yorkers' Inner Monologues Across the City".

6. KLINGER, Eric; KOSTER, Ernst H. W.; e MERCHETTI, Igor. "Spontaneous Thought and Goal Pursuit: From Functions Such as Planning to Dysfunctions Such as Rumination". In: CHRISTOFF e FOX (orgs.). *Oxford Handbook of Spontaneous Thought,* pp. 215-232; D'ARGEMBEAU, Arnaud. "Mind-Wandering and Self-Referential Thought". In: ibid., pp. 181-192; e MORIN, A.; UTTL, B.; e HAMPER, B. "Self-Reported Frequency, Content, and Functions of Inner Speech". *Procedia: Social and Behavioral Journal* 30 (2011), pp. 1714-1718.

7. Ver nota 6 da Introdução.

8. ANDERSON, Michael L. "Neural Reuse: A Fundamental Principle of the Brain". *Behavioral and Brain Sciences* 33 (2010), pp. 245-313.

9. BADDELEY, Alan. "Working Memory". *Science* 255 (1992), pp. 556-559. Ver também: BADDELEY, Alan e LEWIS, Vivien. "Inner Active Processes in Reading: The Inner Voice, the Inner Ear, and the Inner Eye". In: LESGOLD, A. M. e PERFETTI, C. A. (orgs.). *Interactive Processes in Reading.* Hillsdale, NJ: Lawrence Erlbaum, 1981, pp. 107-129; BADDELEY, Alan D. e HITCH, Graham J. "The Phonological Loop as a Buffer Store: An Update". *Cortex* 112 (2019), pp. 91-106; e CHELLA, Antonio e PIPITONE, Arianna. "A Cognitive Architecture for Inner Speech". *Cognitive Systems Research* 59 (2020), pp. 287-292.

10. MANI, Nivedita e PLUNKETT, Kim. "In the Infant's Mind's Ear: Evidence for Implicit Naming in 18-Month-Olds". *Psychological Science* 21 (2010), pp. 908-913. Para uma discussão, ver: ALDERSON--DAY, Ben e FERNYHOUGH, Charles. "Inner Speech: Development, Cognitive Functions, Phenomenology, and Neurobiology". *Psychological Bulletin* 141 (2015); e PERRONE-BERTOLOTTI et al. "What Is That Little Voice Inside My Head?".

11. VYGOTSKY, Lev. *Thinking and Speech: The Collected Works of Lev Vygotsky,* vol. 1 (1934). Nova York: Plenum Press, 1987. Ver também: ALDERSON-DAY e FERNYHOUGH. "Inner Speech"; e PERRONE-BERTOLOTTI et al. "What Is That Little Voice Inside My Head?".

12. Para pesquisas destacando a complexidade do papel que os pais têm na socialização, ver COLLINS, W. Andrew et al. "Contemporary Research on Parenting: The Case for Nature and Nurture". *American Psychologist* 55 (2000), pp. 218-232. Uma ilustração mais recente do papel dos pais na vida emocional dos filhos vem de uma grande meta-análise que mostrou vínculos positivos estatisticamente significativos entre o comportamento dos pais e diversos resultados no ajuste emocional. Ver BARGER, Michael M. et al.

"The Relation Between Parents' Involvement in Children's Schooling and Children's Adjustment: A Meta-analysis". *Psychological Bulletin* 145 (2019), pp. 855-890.

13. Para uma discussão mais abrangente do papel da linguagem na transmissão de ideias culturais, ver: GELMAN, Susan A. e ROBERTS, Steven O. "How Language Shapes the Cultural Inheritance of Categories". *Proceedings of the National Academy of Sciences of the United States of America* 114 (2017), pp. 7900-7907; e BAUMEISTER, Roy e MASICAMPO, E. J. C. "Conscious Thought Is for Facilitating Social and Cultural Interactions". *Psychological Review* 117 (2010), pp. 945-971.

14. MARKUS, Hazel R. e KITAYAMA, Shinobu. "Culture and the Self: Implications for Cognition, Emotion, and Motivation". *Psychological Review* 98 (1991), pp. 224-253.

15. COHEN, Adam B. "Many Forms of Culture". *American Psychologist* 64 (2009), pp. 194-204.

16. BERK, Laura E. e GARVIN, Ruth A. "Development of Private Speech Among Low-Income Appalachian Children". *Developmental Psychology* 20 (1984), pp. 271-286; BERK, Laura E. "Children's Private Speech: An Overview of Theory and the Status of Research". In: DIAZ, Rafael M. e BERK, Laura E. (orgs.). *Private Speech: From Social Interaction to Self-Regulation*. Nova York: Psychology Press, 1992, pp. 17-54.

17. DAVIS, Paige E.; MEINS, Elizabeth; e FERNYHOUGH, Charles. "Individual Differences in Children's Private Speech: The Role of Imaginary Companions". *Journal of Experimental Child Psychology* 116 (2013), pp. 561-571.

18. GRENELL, Amanda e CARLSON, Stephanie M. "Pretense". In: COUCHENOUR, D. e CHRISMAN, J. K. (orgs.). *The Sage Encyclopedia of Contemporary Early Childhood Education*. Nova York: Sage, 2016, pp. 1075-1077.

19. Para estudos ilustrativos, ver: D'ARGEMBEAU, Arnaud; RENAUD, Olivier; e Van der LINDEN, Martial. "Frequency, Characteristics, and Functions of Future-Oriented Thoughts in Daily Life". *Applied Cognitive Psychology* 25 (2011), pp. 96-103; MORIN, Alain; DUHNYCH, Christina; e RACY, Famira. "Self-Reported Inner Speech Use in University Students". *Applied Cognitive Psychology* 32 (2018), pp. 376-382; e MIYAKE, Akira et al. "Inner Speech as a Retrieval Aid for Task Goals: The Effects of Cue Type in the Random Task Cuing Paradigm". *Acta Psychologica* 115 (2004), pp. 123-142. Ver também WINSLER, Adam. "Still Talking to Ourselves After All These Years: A Review of Current Research on Private Speech". In: WINSLER, A.; FERNYHOUGH, C; e MONTERO, I. (orgs.). *Private Speech, Executive Functioning, and the Development of Verbal Self-Regulation*. Nova York: Cambridge University Press, 2009, pp. 3-41.

20. D'ARGEMBEAU; RENAUD; e Van der LINDEN. "Frequency, Characteristics, and Functions of Future-Oriented Thoughts in Daily Life"; D'ARGEMBEAU. "Mind-Wandering and Self-Referential Thought"; e MORIN, DUHNYC e RACY. "Self-Reported Inner Speech Use in University Students".

21. Wamsley apresenta uma convincente revisão de pesquisas sobre os sonhos em WAMSLEY, Erin J. "Dreaming and Waking Thought as a Reflection of Memory Consolidation". In: CHRISTOFF e FOX (orgs.). *Oxford Handbook of Spontaneous Thought,* pp. 457-468.

22. FOX, Kieran C. R. et al. "Dreaming as Mind Wandering: Evidence from Functional Neuroimaging and First-Person Content Reports". *Frontiers in Human Neuroscience* 7 (2013), pp. 1-18; KAHAN, Tracey L. e LaBERGE, Stephen P. "Dreaming and Waking: Similarities and Differences Revisited". *Consciousness and Cognition* 20 (2011), pp. 494-514; PEROGAMYROS, Lampros et al. "The Phenomenal Contents and Neural Correlates of Spontaneous Thoughts Across Wakefulness, NREM Sleep, and REM Sleep. *Journal of Cognitive Neuroscience* 29 (2017), pp. 1766-1777; e WAMSLEY, Erin J.

"Dreaming and Waking Thought as a Reflection of Memory Consolidation".

23. Para uma discussão do papel dos sonhos na simulação de ameaças, ver: VALLI, Katja e REVONSUO, Antti. "The Threat Simulation Theory in Light of Recent Empirical Evidence: A Review". *American Journal of Psychology* 122 (2009), pp. 17-38; e REVONSUO, Antti. "The Reinterpretation of Dreams: An Evolutionary Hypothesis of the Function of Dreaming". *Behavioral and Brain Sciences* 23 (2001), pp. 877-901. Ver também HOBSON, J. Allan. "REM Sleep and Dreaming: Towards a Theory of Protoconsciousness". *Nature Reviews Neuroscience* 10 (2009), pp. 803-813.

24. D'ARGEMBEAU, Arnaud et al. "Brains Creating Stories of Selves: The Neural Basis of Autobiographical Reasoning". *Social Cognitive Affective Neuroscience* 9 (2014), pp. 646-652; MAR, Raymond A. "The Neuropsychology of Narrative: Story Comprehension, Story Production, and Their Interrelation". *Neuropsychologia* 42 (2004), pp. 1414-1434; BAUMEISTER e MASICAMPO. "Conscious Thought Is for Facilitating Social and Cultural Interactions"; McLEAN, Kate C. et al. "Selves Creating Stories Creating Selves: A Process Model of Self-Development". *Personality and Social Psychology Review* 11 (2007), pp. 262-278. Para uma discussão mais abrangente do papel da linguagem no raciocínio autobiográfico, ver FIVUS, Robyn. "The Stories We Tell: How Language Shapes Autobiography". *Applied Cognitive Psychology* 12 (1998), pp. 483-487.

25. Para contar a história de Jill Bolte Taylor, usei seu livro, *A cientista que curou seu próprio cérebro* (Rio de Janeiro: HarperCollins, 2008) e sua TED Talk "My Stroke of Insight", disponível em: <https://www.ted.com/talks/jill_bolte_taylor_my_stroke_of_insight>. Sou grato a um artigo de Alain Morin que analisava o caso de Jill Bolte Taylor no contexto do discurso privado por me indicar esse exemplo: MORIN, Alain. "Self-Awareness Deficits Following Loss of Inner Speech: Dr. Jill Bolte Taylor's Case Study". *Consciousness and Cognition* 18 (2009), pp. 524-529.

26. KILLINGSWORTH e GILBERT. "Wandering Mind Is an Unhappy Mind".

Capítulo dois: Quando falar com nós mesmos é um tiro que sai pela culatra

1. Para contar a história de Rick Ankiel, consultei o livro de sua autoria *The Phenomenon: Pressure, the Yips, and the Pitch That Changed My Life* (Nova York: PublicAffairs, 2017), do qual extraí as citações, bem como os seguintes artigos: WALEIK, Gary. "Former MLB Hurler Remembers 5 Pitches That Derailed His Career", *Only a Game,* WBUR, 19 de maio de 2017, <www.wbur.org/onlyagame/2017/05/19/rick-ankiel-baseball>; e ANKIEL, Rick. "Letter to My Younger Self" de Rick Ankiel, *The Players' Tribune,* 18 de setembro de 2017, disponível em: <https://www.theplayerstribune.com/en-us/articles/rick-ankiel-letter-to-my-younger-self-cardinals>.

2. WALEIK. "Former MLB Hurler Remembers 5 Pitches That Derailed His Career."

3. MLB.com. YouTube, disponível em: <https://www.you tube.com/watch?time_continue =5&v=KDZX525CSvw&feature=emb_title>.

4. Baseball-reference.com: <https://www.baseball-reference.com/players/a/ ankieri01.shtml>.

5. Sian Beilock é uma das maiores especialista do mundo em sufocar sob pressão. Consultei seu trabalho: BEILOCK, Sian L. e GRAY, Rob. "Why Do Athletes Choke Under Pressure?". In: TENENBAUM, G. e ECKLUND, R. C. (orgs.). *Handbook of Sport Psychology,* Hoboken, NJ: John Wiley e Sons, 2007, 3 ed., pp. 425-444.

6. POSNER, Michael I. e ROTHBART, Mary K. "Research on Attention Networks as a Model for the Integration of Psychological Science". *Annual Review of Psychology* 58 (2007), pp. 1-23.

7. PRAHL, Amanda. "Simone Biles Made History with Her Triple Double – Here's What That Term Actually Means". *PopSugar,* 15 de agosto de 2019, <www.popsugar.com/fitness/What-Is-Triple--Double-in-Gymnastics-46501483>. Ver também CAROLL, Charlotte. "Simone Biles Is First-Ever Woman to Land Triple Double in Competition on Floor". *Sports Illustrated,* 11 de agosto de 2019, disponível em: <https://www.si.com/olympics/2019/08/12/simone--biles-first-ever-woman-land-triple-double-competition-video>.

8. BEILOCK e GRAY. "Why Do Athletes Choke Under Pressure?". Note que esse trabalho usa a palavra "apartou" para descrever o processo a que me refiro como "desvinculou".

9. BEILOCK, Sian. *Deu branco!.* Rio de Janeiro: BestSeller, 2017.

10. DIAMOND, Adele. "Executive Functions", *Annual Review of Psychology* 64 (2013), pp. 135-168.

11. SHENHAV, Amitai et al. "Toward a Rational and Mechanistic Account of Mental Effort". *Annual Review of Neuroscience* 40 (2017), pp. 99-124.

12. COWAN, Nelson. "The Magical Mystery Four: How Is Working Memory Capacity Limited, and Why?". *Current Directions in Psychological Science* 19 (2010), pp. 51-57.

13. A noção de que perseverança cognitiva compromete funções executivas tem sido estudada a partir de diversas perspectivas. Ver: EYSENCK, Michael W. et al. "Anxiety and Cognitive Performance: Attentional Control Theory". *Emotion* 7 (2007), pp. 336-353; SNYDER, Hannah R. "Major Depressive Disorder Is Associated with Broad Impairments on Neuropsychological Measures of Executive Function: A Meta-analysis and Review". *Psychological Bulletin* 139 (2013), pp. 81-132; e MORAN, Tim P. "Anxiety and Working Memory Capacity: A Meta-analysis and Narrative Review". *Psychological Bulletin* 142 (2016), pp. 831-864.

14. Von der EMBSE, Nathaniel et al. "Test Anxiety Effects, Predictors,

and Correlates: A 30-Year Meta-analytic Review". *Journal of Affective Disorders* 227 (2018), pp. 483-493.

15. KENNY, Dianna T. "A Systematic Review of Treatments for Music Performance Anxiety". *Anxiety, Stress, and Coping* 18 (2005), pp. 183-208.

16. BROOKS, Alison Wood e SCHWEITZER, Maurice E. "Can Nervous Nelly Negotiate? How Anxiety Causes Negotiators to Make Low First Offers, Exit Early, and Earn Less Profit". *Organizational Behavior and Human Decision Processes* 115 (2011), pp. 43-54.

17. RIMÉ, Bernard. "Emotion Elicits the Social Sharing of Emotion: Theory and Empirical Review". *Emotion Review* 1 (2009), pp. 60-85. Também extraí dados da seguinte palestra: RIMÉ, Bernard. "The Social Sharing of Emotion". Collective Emotions in Cyberspace Consortium. YouTube, 20 de maio de 2013, disponível em: <www.youtube.com/watch?v=JdCksLisfUQ>.

18. Embora a pesquisa de Rimé sugira que a motivação de falar sobre as próprias emoções é um fenômeno intercultural, a proporção com que compartilham suas emoções varia de uma cultura para outra. Ver SINGH-MANOUX, Archana e FINKENAUER, Catrin. "Cultural Variations in Social Sharing of Emotions: An Intercultural Perspective on a Universal Phenomenon". *Journal of Cross-Cultural Psychology* 32 (2001), pp. 647-661. Ver também KIM, Heejung S. "Social Sharing of Emotion in Words and Otherwise". *Emotion Review* 1 (2009), pp. 92-93.

19. Para uma análise, ver: NOLEN-HOEKSEMA, Susan; WISCO, Blair E.; e LYUBOMIRSKY, Sonja. "Rethinking Rumination". *Perspectives on Psychological Science* 3 (2008), pp. 400-424; JOINER, Thomas E. et al. "Depression and Excessive Reassurance-Seeking". *Psychological Inquiry* 10 (1999): 269-278; Michael B. Gurtman, "Depressive Affect and Disclosures as Factors in Interpersonal Rejection". *Cognitive Therapy Research* 11 (1987), pp. 87-99; e SCHWARTZ, Jennifer L. e THOMAS, Amanda McCombs. "Per-

ceptions of Coping Responses Exhibited in Depressed Males and Females". *Journal of Social Behavior and Personality* 10 (1995), pp. 849-860.

20. Para análises, ver NOLEN-HOEKSEMA; WISCO; e LYUBOMIR-SKY. "Rethinking Rumination"; e LYUBOMIRSKY et al. "Thinking About Rumination". *Annual Review of Clinical Psychology* 11 (2015), pp. 1-22.

21. Para uma discussão de como relações sociais desgastadas contribuem para sentimentos de isolamento social e solidão, ver: HOLT-LUNSTAD, Julianne. "Why Social Relationships Are Important for Physical Health: A Systems Approach to Understanding and Modifying Risk and Perception". *Annual Review of Psychology* 69 (2018), pp. 437-458; e HOLT-LUNSTAD, Julianne; SMITH, Timothy B.; BAKER, Mark; HARRIS, Tyler; e STEPHENSON, David. "Loneliness and Social Isolation as Risk Factors for Mortality: A Meta-analytic Review". *Perspectives on Psychological Science* 10 (2015), pp. 227-237.

    Para trabalhos documentando os efeitos tóxicos da solidão e do isolamento social, ver: CACIOPPO, John T. e CACIOPPO , Stephanie. "The Growing Problem of Loneliness". *The Lancet* 391 (2018), p. 426; MILLER, Greg. "Why Loneliness Is Hazardous to Your Health". *Science* 14 (2011), pp. 138-140; e SHANKAR, Aparna; McMUNN, Anne; BANKS, James; e STEPTOE, Andrew. "Loneliness, Social Isolation, and Behavioral and Biological Health Indicators in Older Adults". *Health Psychology* 30 (2011), pp. 377-385.

22. McLAUGHLIN, Katie A. e NOLEN-HOEKSEMA, Susan. "Interpersonal Stress Generation as a Mechanism Linking Rumination to Internalizing Symptoms in Early Adolescents". *Journal of Clinical Child and Adolescent Psychology* 41 (2012), pp. 584-597.

    Um estudo de John Cacioppo e seus colegas ressalta ainda mais o vínculo recíproco entre solidão e atenção autocentrada: CACIOPPO, John T.; CHEN, Hsi Yuan; e CACIOPPO, Stephanie. "Reciprocal Influences Between Loneliness and Self-Centeredness: A

Cross-Lagged Panel Analysis in a Population-Based Sample of African American, Hispanic, and Caucasian Adults". *Personality and Social Psychology Bulletin* 43 (2017), pp. 1125-1135.

23. NOLEN-HOEKSEMA, Susan e DAVIS, Christopher G. "'Thanks for Sharing That': Ruminators and Their Social Support Networks". *Journal of Personality and Social Psychology* 77 (1999), pp. 801-814.

24. DENSON, Thomas F. et al. "Understanding Impulsive Aggression: Angry Rumination and Reduced Self-Control Capacity Are Mechanisms Underlying the Provocation-Aggression Relationships". *Personality and Social Psychology Bulletin* 37 (2011), pp. 850-862; e BUSHMAN, Brad J. "Does Venting Anger Feed or Extinguish the Flame? Catharsis, Rumination, Distraction, Anger, and Aggressive Responding". *Personality and Social Psychology Bulletin* 28 (2002), pp. 724-731.

25. BUSHMAN, Brad J. et al. "Chewing on It Can Chew You Up: Effects of Rumination on Triggered Displaced Aggression". *Journal of Personality and Social Psychology* 88 (2005), pp. 969-983.

26. Facebook Newsroom, Facebook, <newsroom.fb.com/company-info/>; e CLEMENT, J. "Number of Monthly Active Twitter Users Worldwide from 1st Quarter 2010 to 1st Quarter 2019 (in Millions)". Statista, <www.statista.com/ statistics/282087/number-of-monthly-active-twitter-users/>.

27. CHOI, Mina e TOMA, Catalina L. "Social Sharing Through Interpersonal Media: Patterns and Effects on Emotional Well-Being". *Computers in Human Behavior* 36 (2014), pp. 530-541; e MANAGO, Adriana M.; TAYLOR, Tamara; e GREENFIELD, Patricia M. "Me and My 400 Friends: The Anatomy of College Students' Facebook Networks, Their Communication Patterns, and Well-Being". *Developmental Psychology* 48 (2012), pp. 369-380.

28. Como um exemplo desse princípio, considere pesquisas que eu e meus colegas fizemos para demonstrar que o uso passivo do Facebook (isto é, acessar o site para consumir informações sobre

outras pessoas) leva a um declínio do bem-estar, enquanto o uso ativo do Facebook (isto é, produzir informações no site) não leva a esse resultado. Ver VERDUYN, Philippe et al. "Passive Facebook Usage Undermines Affective Well-Being: Experimental and Longitudinal Evidence". *Journal of Experimental Psychology: General* 144 (2015), pp. 480-488. Para uma análise, ver VERDUYN, Philippe et al. "Do Social Network Sites Enhance or Undermine Subjective Well-Being? A Critical Review". *Social Issues and Policy Review* 11 (2017), pp. 274-302.

29. ZAKI, Jamil. *The War for Kindness: Building Empathy in a Fractured World.* Nova York: Crown, 201; e De WAAL, Frans B. M. e PRESTON, Stephanie. "Mammalian Empathy: Behavioural Manifestations and Neural Basis". *Nature Reviews Neuroscience* 18 (2017), pp. 498-509.

30. RIMÉ, Bernard. "Emotion Elicits the Social Sharing of Emotion".

31. SULER, John. "The Online Disinhibition Effect". *Cyberpsychology and Behavior* 3 (2004), pp. 321-326; LAPIDOT-LEFLER, Noam e BARAK, Azy. "Effects of Anonymity, Invisibility, and Lack of Eye--Contact on Toxic Online Disinhibition". *Computers in Human Behavior* 28 (2012), pp. 434-443; e TERRY, Christopher e CAIN, Jeff. "The Emerging Issue of Digital Empathy". *American Journal of Pharmaceutical Education* 80 (2016), p. 58.

32. Committee on the Biological and Psychosocial Effects of Peer Victimization. *Lessons for Bullying Prevention.* National Academy of Sciences Report; HAMM, Michele P. et al. "Prevalence and Effect of Cyberbullying on Children and Young People". *JAMA Pediatrics,* agosto de 2015; KOWALSKI, Robin M. et al., "Bullying in the Digital Age: A Critical Review and Meta-analysis of Cyberbullying Research Among Youth". *Psychological Bulletin* 140 (2014), pp. 1073-1137; e TOKUNAGA, Robert. "Following You Home from School: A Critical Review and Synthesis of Research on Cyber-bullying Victimization". *Computers in Human Behavior* 26 (2010), pp. 277-287.

33. Normalmente as emoções amainam quando atingem seu nível máximo de intensidade: VERDUYN, Philippe; Van MECHELEN, Iven; e TUERLINCKX, Francis. "The Relation Between Event Processing and the Duration of Emotional Experience". *Emotion* 11 (2011), pp. 20-28; e VERDUYN, Philippe et al. "Predicting the Duration of Emotional Experience: Two Experience Sampling Studies". *Emotion* 9 (2009), pp. 83-91.

34. McLAUGHLIN, Caitlin e VITAK, Jessica. "Norm Evolution and Violation on Facebook". *New Media and Society* 14 (2012), pp. 299-315; e BUEHLER, Emily M. "'You Shouldn't Use Facebook for That': Navigating Norm Violations While Seeking Emotional Support on Facebook". *Social Media and Society* 3 (2017), pp. 1-11.

35. PARK, Jiyoung et al. "When Perceptions Defy Reality: The Relationships Between Depression and Actual and Perceived Facebook Social Support". *Journal of Affective Disorders* 200 (2016), pp. 37-44.

36. Para dois relatos clássicos do papel da autoapresentação na vida cotidiana, ver: GOFFMAN, Erving. *The Presentation of Self in Everyday Life.* Garden City, NY: Doubleday, 1959; e LEARY, Mark R. e KOWALSKI, Robin M. "Impression Management: A Literature Review and Two-Component Model". *Psychological Bulletin* 107 (1990), pp. 34-47.

37. Randi Zuckerberg captou bem essa faceta do Facebook em uma entrevista que deu ao *The New York Times.* "De que você se sente mais culpada no Facebook?", perguntou o repórter. "Eu sou uma marqueteira e às vezes não consigo deixar de fazer isso com a minha vida pessoal", ela respondeu. "Tenho amigos que me ligam para dizer 'Sua vida parece tão incrível'. E eu digo a eles: 'Eu sou uma marqueteira; só posto meus momentos incríveis.'" DOMINUS, Susan. "Randi Zuckerberg: 'I Really Put Myself Out There'". *The New York Times,* 1º de novembro de 2013, disponível em: <www.nytimes.com/2013/11/03/magazine/randi-zuckerberg-i-really-put-myself-out-there.html>.

38. GONZALES, Amy L. e HANCOCK, Jeffrey T. "Mirror, Mirror on My Facebook Wall: Effects of Exposure to Facebook on Self-Esteem". *Cyberpsychology, Behavior, and Social Networking* 14 (2011), pp. 79-83.

39. FESTINGER, Leon. "A Theory of Social Comparison Processes". *Human Relations* 7 (1954), pp. 117-140; e CORCORAN, Katja; CRUSIUS, Jan; e MUSSWEILER, Thomas. "Social Comparison: Motives, Standards, and Mechanisms" In: CHADEE, D. (org.) *Theories in Social Psychology*. Oxford: Wiley-Blackwell, 2011, pp. 119-139. Algumas vezes nos comparamos a outros para ver como estamos progredindo em um campo específico. Outras vezes é para que nos sintamos melhor (ao nos compararmos com alguém aparentemente "abaixo" de nós) ou para identificar como podemos melhorar certa faceta da nossa vida a que damos valor (ao nos compararmos com alguém aparentemente "acima" de nós). Também há evidências de que nos compararmos com outros é uma forma eficaz de mensurar e obter informações sobre nós mesmos.

40. VERDUYN et al. "Passive Facebook Usage Undermines Affective Well-Being".

E quanto mais amargamos sobre quão pior nossa vida é em comparação com a dos outros, piores as consequências. Caso em questão: um estudo longitudinal realizado com 268 jovens adultos constatou que quanto mais as pessoas se comparavam negativamente a outras no Facebook, mais elas ruminavam e mais deprimidas se sentiam: FEINSTEIN et al. "Negative Social Comparison on Facebook and Depressive Symptoms". *Psychology of Popular Media Culture* 2 (2013), pp. 161-170.

Ver também: HUNT, Melissa G. et al., "No More FOMO: Limiting Social Media Decreases Loneliness and Depression". *Journal of Social and Clinical Psychology* 37 (2018), pp. 751-768; TROMHOLT, Morten. "The Facebook Experiment: Quitting Facebook Leads to Higher Levels of Well-Being". *Cyberpsychology, Behavior, and Social Networking* 19 (2016), pp. 661-666; MOSQUERA, R. et al. "The

Economic Effects of Facebook". *Experimental Economics* (2019); SHAKYA, Holly B. e CHRISTAKIS, Nicholas A. "Association of Facebook Use with Compromised Well-Being: A Longitudinal Study". *American Journal of Epidemiology* 185 (2017), pp. 203-211; e ESCOBAR-VIERA, Cesar G. et al. "Passive and Active Social Media Use and Depressive Symptoms Among United States Adults". *Cyberpsychology, Behavior, and Social Networking* 21 (2018), pp. 437-443.

Pesquisas também começaram a demonstrar como essas descobertas se aplicam a outras plataformas de redes sociais, como o Instagram: FRISON, Eline e EGGERMONT, Steven. "Browsing, Posting, and Liking on Instagram: The Reciprocal Relationships Between Different Types of Instagram Use and Adolescents' Depressed Mood". *Cyberpsychology, Behavior, and Social Networking* 20 (2017), pp. 603-609.

41. As consequências negativas da inveja são bem conhecidas. Entretanto, a inveja não é de todo má. Pode funcionar, em pequenas doses, como um incentivo a nos aperfeiçoarmos: LANGE, Jens; WEIDMAN, Aaron; e CRUSIUS, Jan. "The Painful Duality of Envy: Evidence for an Integrative Theory and a Meta-analysis on the Relation of Envy and Schadenfreude". *Journal of Personality and Social Psychology* 114 (2018), pp. 572-598.

42. Explicações adicionais sobre a razão de continuarmos a usar as redes sociais a despeito de suas consequências negativas incluem: (a) nosso desejo de estar a par do que acontece em nossa comunidade, que pode superar nosso desejo de nos sentir bem em um dado momento, (b) o desejo de obter feedback de outros, e (c) as pessoas em geral interpretam mal como usar o Facebook as faz se sentirem (i.e., nos concentramos no potencial positivo que a rede social nos propiciará, perdendo de vista [ou talvez nem tomando consciência] do potencial de causar prejuízos também). Para uma discussão, ver KROSS, Ethan e CAZAUBON, Susannah. "How Does Social Media Influence People's Emotional Lives?". In: FORGAS, J.; CRANO,

William D.; e FIEDLER, Klaus (orgs.). *Applications of Social Psychology: How Social Psychology Can Contribute to the Solution of Real-World Problems.* Nova York: Routledge-Psychology Press, 2020, pp. 250-264.

43. TAMIR, Diana I. e MITCHELL, Jason P. "Disclosing Information About the Self Is Intrinsically Rewarding". *Proceedings of the National Academy of Sciences of the United States of America* 109 (2012), pp. 8038-8043.

44. MacDONALD, Geoff e LEARY, Mark R. "Why Does Social Exclusion Hurt? The Relationship Between Social and Physical Pain". *Psychological Bulletin* 131 (2005), pp. 202-223; EISENBERGER, Naomi I.; LIEBERMAN, Matthew D.; e WILLIAMS, Kipling D. "Does Rejection Hurt? An fMRI Study of Social Exclusion". *Science* 302 (2003), pp. 290-292.

45. KROSS, Ethan et al. "Social Rejection Shares Somatosensory Representations with Physical Pain". *Proceedings of the National Academy of Sciences of the United States of America* 108 (2011), pp. 6270-6275.

46. <https://www.health.ny.gov/statistics/vital_statistics/2007/table02.htm>.

47. EISENBERGER, Naomi I. e COLE, Steve W. "Social Neuroscience and Health: Neurophysiological Mechanisms Linking Social Ties with Physical Health". *Nature Neuroscience* 15 (2012), pp. 669-674; e MILLER, Gregory; CHEN, Edith; e COLE, Steve W. "Health Psychology: Developing Biologically Plausible Models Linking the Social World and Physical Health". *Annual Review of Psychology* 60 (2009), pp. 501-524.

48. HELLEBUYCK, Michele et al. "Workplace Health Survey", Mental Health America, disponível em: <https://mhanational.org/sites/default/files/Mind%20the% 20Workplace%20-%20MHA%20Workplace%20Health%20Survey% 202017%20FINAL%209.13.pdf>.

49. Para uma consideração sobre como a perseverança cognitiva, que geralmente toma a forma de ruminação verbal e preocupação (ver Introdução), prolonga a resposta ao estresse, ver: BROSSCHOT, GERIN e THAYER, "Perseverative Cognition Hypothesis"; BROSSCHOT, Jos F. "Markers of Chronic Stress: Prolonged Physiological Activation and (Un)conscious Perseverative Cognition". *Neuroscience and Biobehavioral Reviews* 35 (2010), pp. 46-50; e OTTAVIANI, Cristina et al. "Physiological Concomitants of Perseverative Cognition: A Systematic Review and Meta-analysis". *Psychological Bulletin* 142 (2016), pp. 231-259.

50. STEPTOE, Andrew e KIVIMAKI, Mika. "Stress and Cardiovascular Disease". *Nature Reviews Cardiology* 9 (2012), pp. 360-370; SEGERSTROM, Suzanne C. e MILLER, Gregory E. "Psychological Stress and the Human Immune System: A Meta-analytic Study of 30 Years of Inquiry". *Psychological Bulletin* 130 (2004), pp. 601-630; McEWEN, Bruce S. "Brain on Stress: How the Social Environment Gets Under the Skin". *Proceedings of the National Academy of Sciences of the United States of America* 109 (2012), pp. 17180-17185; GLASER, Ronald e KIECOLT-GLASER, Janice. "Stress-Induced Immune Dysfunction: Implications for Health". *Nature Reviews Immunology* 5 (2005), pp. 243-251; REICHE, Edna Maria Vissoci; NUNES, Sandra Odebrecht Vargas; e MORIMOTO, Helena Kaminami. "Stress, Depression, the Immune System, and Cancer" *Lancet Oncology* 5 (2004), pp. 617-625; TOMIYAMA, A. Janet. "Stress and Obesity". *Annual Review of Psychology* 70 (2019), pp. 703-718; e MILLER, Gregory E. et al. "A Functional Genomic Fingerprint of Chronic Stress in Humans: Blunted Glucocorticoid and Increased NFκB Signaling". *Biological Psychiatry* 15 (2008), pp. 266-272.

51. HOLT-LUNSTAD, Julianne; SMITH, Timothy B.; e LAYTON, J. Bradley. "Social Relationships and Mortality Risk: A Meta-analytic Review", *PLOS Medicine* 7 (2010), e1000316.

52. NOLEN-HOEKSEMA, Susan e WATKINS, Edward R. "A Heuristic for Developing Transdiagnostic Models of Psychopathology:

Explaining Multifinality and Divergent Trajectories". *Perspectives on Psychological Science* 6 (2011), pp. 589-609; McLAUGHLIN, Katie A. et al. "Rumination as a Transdiagnostic Factor Underlying Transitions Between Internalizing Symptoms and Aggressive Behavior in Early Adolescents". *Journal of Abnormal Psychology* 123 (2014), pp. 13-23; WATKINS, Edward R. "Depressive Rumination and Co-morbidity: Evidence for Brooding as a Transdiagnostic Process". *Journal of Rational-Emotive and Cognitive-Behavior Therapy* 27 (2009), pp. 160-75; MENNIN, Douglas S. e FRESCO, David M. "What, Me Worry and Ruminate About DSM-5 and RDoC? The Importance of Targeting Negative Self-Referential Processing". *Clinical Psychology: Science and Practice* 20 (2013), pp. 258-267; e BROSSCHOT. "Markers of Chronic Stress."

53. Usei as seguintes fontes para estabelecer a conexão entre expressão genética e tocar um instrumento musical: QIU, Jane. "Unfinished Symphony". *Nature* 441 (2006), pp. 143-145; e Texas Health Science Center at San Antonio, Universidade do Texas. "Study Gives Clue as to How Notes Are Played on the Genetic Piano". *EurekAlert!,* 12 de maio de 2011, disponível em: <www.eurekalert.org/pub_releases/2011-05/uoth-sgc051011.php>.

54. COLE, Steve W. "Social Regulation of Human Gene Expression", *American Journal of Public Health* 103 (2013), pp. S84-S92. Também me referi à seguinte palestra ministrada por Cole em Stanford: "Meng-Wu Lecture" (palestra proferida no Center for Compassion and Altruism Research and Education, 12 de novembro de 2013), disponível em: <ccare.stanford.edu/videos/meng-wu-lecture-steve-cole-ph-d/>.

55. SLAVICH, George M. e IRWIN, Michael R. "From Stress to Inflammation and Major Depressive Disorder: A Social Signal Transduction Theory of Depression". *Psychological Bulletin* 140 (2014), pp. 774-815; COLE, Steve W. et al. "Social Regulation of Gene Expression in Human Leukocytes". *Genome Biology* 8 (2007), R189; e MILLER, Gregory E.; CHEN, Edith; e PARKER, Karen J.

"Psychological Stress in Childhood and Susceptibility to the Chronic Diseases of Aging: Moving Towards a Model of Behavioral and Biological Mechanisms". *Psychological Bulletin* 137 (2011), pp. 959-997.

56. O falatório também estende seus tentáculos até o nosso DNA de outra maneira – pelos *telômeros*. Telômeros são tampinhas na extremidade dos cromossomos que protegem o DNA de se desenrolar de formas que podem afetar a saúde e a longevidade. Telômeros curtos contribuem para uma série de doenças relacionadas à idade. Felizmente, todos temos uma substância química no corpo chamada telomerase, que preserva a integridade dos telômeros. O problema é que hormônios de estressse como o cortisol drenam essa substância do nosso corpo, aumentando a velocidade com que os telômeros encurtam.

    Em 2004, Elissa Epel, a vencedora do Prêmio Nobel Elizabeth Blackburn e seus colegas publicaram um estudo emblemático analisando a relação entre quão estressadas algumas mulheres se sentiam durante um período de dez meses e o comprimento de seus telômeros. Como esperado, elas constataram que quanto mais estressadas as mulheres se sentiam – e o estresse claramente é um gatilho para o falatório, e o falatório, um motor do estresse *crônico* –, mais curtos seus telômeros se mostravam. Ainda mais drástico, as mulheres mais estressadas tinham telômeros equivalentes a *mais de uma década mais curtos* do que mulheres menos estressadas. EPEL, Elissa S. et al. "Accelerated Telomere Shortening in Response to Life Stress". *Proceedings of the National Academy of Sciences* 101 (2004), pp. 17312-17315.

    Para uma análise detalhada, ver BLACKBURN, Elizabeth H. e EPEL, Elissa S. *O segredo está nos telômeros*. São Paulo: Planeta, 2017. Ver também: BLACKBURN, Elizabeth; EPEL, Elissa S.; e LIN, Jue. "Human Telomere Biology: A Contributory and Interactive Factor in Aging, Disease Risks, and Protection". *Science* 350 (2015), pp. 1193-1198; e RENTSCHER, Kelly E. et al. "Psychosocial Stressors and Telomere Length: A Current Review of the Science". *Annual Review of Public Health* 41 (2020), pp. 223-245.

57. KELLY, Matt. "This Thirty-Nine-Year-Old Is Attempting a Comeback", MLB.com, 2 de agosto de 2018, disponível em: <https://www.mlb.com/news/rick-ankiel-to-attempt-comeback-c288544452>, acesso em 9 de fevereiro de 2020.

Capítulo três: Diminuindo o zoom

1. Mudei o nome e vários outros detalhes dessa história para preservar o anonimato da minha ex-aluna. Todos os outros aspectos da história são verdadeiros. Também consultei um perfil jornalístico, que não menciono aqui para proteger seu anonimato.

2. KROSS, Ethan et al. "Coping with Emotions Past: The Neural Bases of Regulating Affect Associated with Negative Autobiographical Memories". *Biological Psychiatry* 65 (2009), pp. 361-366; e NEJAD, Ayna Baladi; FOSSATI, Philippe; e LEMOGNE, Cedric. "Self-Referential Processing, Rumination, and Cortical Midline Structures in Major Depression". *Frontiers in Human Neuroscience* 7 (2013), p. 666.

3. KROSS, Ethan e AYDUK, Özlem. "Self-Distancing: Theory, Research, and Current Directions. In: OLSON, J. e ZANNA, M. (orgs.). *Advances in Experimental Social Psychology*. Amsterdã: Elsevier, 2017, pp. 81-136; e POWERS, John P. e LaBAR, Kevin S. "Regulating Emotion Through Distancing: A Taxonomy, Neurocognitive Model, and Supporting Meta-analysis". *Neuroscience and Biobehavioral Reviews* 96 (2019), pp. 155-173.

4. Ver GILBERT, Daniel T. et al. "Immune Neglect: A Source of Durability Bias in Affective Forecasting". *Journal of Personality and Social Psychology* 75 (1998), pp. 617-638, para uma introdução ao conceito de sistema imune psicológico.

5. MISCHEL, Walter. *O Teste do Marshmallow: Por que a força de vontade é a chave do sucesso*. Rio de Janeiro: Objetiva, 2016; e

MISCHEL, Walter; SHODA, Yuichi; e RODRIGUEZ, Monica. "Delay of Gratification in Children". *Science* 244 (1989), pp. 933-938.

6. AYDUK, Özlem; MISCHEL, Walter; e DOWNEY, Geraldine. "Attentional Mechanisms Linking Rejection to Hostile Reactivity: The Role of 'Hot' Versus 'Cool' Focus". *Psychological Science* 13 (2002), pp. 443-448. Ver também RUSTING, Cheryl L. e NOLEN--HOEKSEMA, Susan. "Regulating Responses to Anger: Effects of Rumination and Distraction on Angry Mood". *Journal of Personality and Social Psychology* 74 (1998), pp. 790-803.

7. KROSS, Ethan e AYDUK, Özlem. "Facilitating Adaptive Emotional Analysis: Distinguishing Distanced-Analysis of Depressive Experiences from Immersed-Analysis and Distraction". *Personality and Social Psychology Bulletin* 34 (2008), pp. 924-938.

8. BECK, Aaron T. "Cognitive Therapy: Nature and Relation to Behavior Therapy". *Behavior Therapy* 1 (1970), pp. 184-200. Ver também INGRAM, Rick E. e HOLLON, Steven. "Cognitive Therapy for Depression from an Information Processing Perspective. In: INGRAM, R. E. (org.). *Personality, Psychopathology, and Psychotherapy Series: Information Processing Approaches to Clinical Psychology*. San Diego: Academic Press, 1986, pp. 259-281.

9. Para uma análise clássica de pesquisas indicando os efeitos nocivos de se evadir, ver FOA, Edna B. e KOZAK, Michael J. "Emotional Processing of Fear: Exposure to Corrective Information". *Psychological Bulletin* 99 (1986), pp. 20-35. Como mencionei no texto, pessoas podem se distanciar para atingir diferentes objetivos (i.e., para evitar suas emoções, para aceitá-las com atenção plena, para abordá-las e analisá-las). Assim como um martelo pode ser usado para fixar um prego na parede ou para arrancá-lo, o distanciamento tem múltiplas aplicações. E, como qualquer ferramenta, a ajuda ou o prejuízo dependem de como e por que a pessoa a está usando. No trabalho analisado nesta seção do capítulo, eu foco num contexto em que a pesquisa indica que o distanciamento é proveitoso: ao ajudar

pessoas em suas tentativas de refletir ativamente e esclarecer suas experiências negativas. Para uma discussão mais detalhada dessas questões, ver a conclusão de KROSS e AYDUK. "Self-Distancing: Theory, Research, and Current Directions".

10. NIGRO, Georgia e NEISSER, Ulric. "Point of View in Personal Memories". *Cognitive Psychology* 15 (1983), pp. 467-482; ROBINSON, John A. e SWANSON, Karen L. "Field and Observer Modes of Remembering". *Memory* 1 (1993), pp. 169-184. As pessoas tendem a se lembrar de intensas experiências negativas a partir de uma perspectiva imersiva em primeira pessoa: D'ARGEMBEAU, Arnaud. "Phenomenal Characteristics of Autobiographical Memories for Positive, Negative, and Neutral Events". *Applied Cognitive Psychology* 17 (2003), pp. 281-294; e McISAAC, Heather K. e EICH, Eric. "Vantage Point in Episodic Memory". *Psychonomic Bulletin and Review* 9 (2002), pp. 146-150. No entanto, lembranças de experiências traumáticas e constrangedoras costumam ser mais lembradas a partir da perspectiva de um observador a distância: KENNY, Lucy M. et al. "Distant Memories: A Prospective Study of Vantage Point of Trauma Memories". *Psychological Science* 20 (2009), pp. 1049-1052; e COLES, Meredith E. et al. "Effects of Varying Levels of Anxiety Within Social Situations: Relationship to Memory Perspective and Attributions in Social Phobia". *Behaviour Research and Therapy* 39 (2001), pp. 651-665. Para uma discussão das implicações dessa distinção na regulagem da emoção, ver KROSS e AYDUK. "Self-Distancing: Theory, Research, and Current Directions".

11. KROSS, Ethan; AYDUK, Özlem; e MISCHEL, Walter. "When Asking 'Why' Does Not Hurt: Distinguishing Rumination from Reflective Processing of Negative Emotions". *Psychological Science* 16 (2005), pp. 709-715.

12. Os exemplos de fluxos verbais que cito foram extraídos de KROSS, Ethan e AYDUK, Özlem. "Making Meaning out of Negative Experiences by Self-Distancing". *Current Directions in Psychological Science* 20 (2011), pp. 187-191.

13. AYDUK, Özlem e KROSS, Ethan. "Enhancing the Pace of Recovery: Self-Distanced Analysis of Negative Experiences Reduces Blood Pressure Reactivity". *Psychological Science* 19 (2008), pp. 229-231. Ver também RAY, Rebecca F.; WILHELM, Frank H.; e GROSS, James J. "All in the Mind's Eye? Anger Rumination and Reappraisal". *Journal of Personality and Social Psychology* 94 (2008), pp. 133-145.

14. CHRISTIAN, Brittany M. et al. "When Imagining Yourself in Pain, Visual Perspective Matters: The Neural and Behavioral Correlates of Simulated Sensory Experiences". *Journal of Cognitive Neuroscience* 27 (2015), pp. 866-875.

15. MISCHKOWSKI, Dominik; KROSS, Ethan; e BUSHMAN, Brad. "Flies on the Wall Are Less Aggressive: Self-Distancing 'in the Heat of the Moment' Reduces Aggressive Thoughts, Angry Feelings, and Aggressive Behavior". *Journal of Experimental Social Psychology* 48 (2012), pp. 1187-1191. Ver também PFEILER, Tamara M. et al. "Adaptive Modes of Rumination: The Role of Subjective Anger". *Cognition and Emotion* 31 (2017), pp. 580-589.

16. KROSS, Ethan et al. "'Asking Why' from a Distance: Its Cognitive and Emotional Consequences for People with Major Depressive Disorder". *Journal of Abnormal Psychology* 121 (2012), pp. 559-569; KROSS, Ethan e AYDUK, Özlem. "Boundary Conditions and Buffering Effects: Does Depressive Symptomology Moderate the Effectiveness of Distanced-Analysis for Facilitating Adaptive Self-Reflection?". *Journal of Research in Personality* 43 (2009), pp. 923-927; TRAVERS-HILL, Emma et al. "Beneficial Effects of Training in Self-Distancing and Perspective Broadening for People with a History of Recurrent Depression". *Behaviour Research and Therapy* 95 (2017), pp. 19-28. Para um resumo de pesquisas sobre as implicações clínicas do distanciamento e uma discussão de como funciona em diferentes condições, ver KROSS e AYDUK. "Self-Distancing: Theory, Research, and Current Directions".

17. PENNER, Louis A. et al. "Self-Distancing Buffers High Trait Anxious Pediatric Cancer Caregivers Against Short-and Longer-Term Distress". *Clinical Psychological Science* 4 (2016), pp. 629-640.

18. VERDUYN, Philippe et al. "The Relationship Between Self-Distancing and the Duration of Negative and Positive Emotional Experiences in Daily Life". *Emotion* 12 (2012), pp. 1248-1263. Para uma réplica conceitual da descoberta demonstrando que o distanciamento reduz efeitos positivos, ver GRUBER, June; HARVEY, Allison G.; e JOHNSON, Sheri L. "Reflective and Ruminative Processing of Positive Emotional Memories in Bipolar Disorder and Healthy Controls". *Behaviour Research and Therapy* 47 (2009), pp. 697-704. Para dados experimentais apoiando os benefícios duradouros do distanciamento, ver KROSS e AYDUK. "Facilitating Adaptive Emotional Analysis".

19. AYDUK, Özlem e KROSS, Ethan. "From a Distance: Implications of Spontaneous Self-Distancing for Adaptive Self-Reflection". *Journal of Personality and Social Psychology* 98 (2010), pp. 809-829.

20. RAY, WILHELM e GROSS. "All in the Mind's Eye?".

21. SCHARTAU, Patricia E.; DALGLEISH, Tim; e DUNN, Barnaby D. "Seeing the Bigger Picture: Training in Perspective Broadening Reduces Self-Reported Affect and Psychophysiological Response to Distressing Films and Autobiographical Memories". *Journal of Abnormal Psychology* 118 (2009), pp. 15-27.

22. DAVIS, Joshua Ian; GROSS, James J.; e OCHSNER, Kevin N. "Psychological Distance and Emotional Experience: What You See Is What You Get". *Emotion* 11 (2011), pp. 438-444.

23. YEAGER, David S. et al. "Boring but Important: A Self-Transcendent Purpose for Learning Fosters Academic Self-Regulation". *Journal of Personality and Social Psychology* 107 (2014), pp. 558-580.

24. KNOX, John S. "Solomon". *Ancient History Encyclopedia,* 25 de janeiro de 2017, disponível em: <www.ancient.eu/solomon/>.

25. ALTER, Robert. *The Hebrew Bible: A Translation with Commentary*. Nova York: W. W. Norton, 2018.

26. GROSSMANN, Igor e KROSS, Ethan. "Exploring Solomon's Paradox: Self-Distancing Eliminates the Self-Other Asymmetry in Wise Reasoning About Close Relationships in Younger and Older Adults". *Psychological Science* 25 (2014), pp. 1571-1580.

27. GOODWIN, Doris Kearns. *Team of Rivals*. Nova York: Simon & Schuster, 2005.

28. GROSSMANN, Igor. "Wisdom in Context". *Perspectives on Psychological Science* 12 (2017), pp. 233-257.

29. GROSSMANN, Igor et al. "Reasoning About Social Conflicts Improves into Old Age". *PNAS* 107 (2010), pp. 7246-7250. Ver também WORTHY, Darrell A. et al. "With Age Comes Wisdom: Decision Making in Younger and Older Adults". *Psychological Science* 22 (2011), pp. 1375-1380.

30. GROSSMANN e KROSS. "Exploring Solomon's Paradox"; e HUYNH, Alex C. et al. "The Wisdom in Virtue: Pursuit of Virtue Predicts Wise Reasoning About Personal Conflicts". *Psychological Science* 28 (2017), pp. 1848-1856.

31. Essa tendência também é chamada de viés de omissão. Ver RITOV, Ilana e BARON, Jonathan Baron. "Reluctance to Vaccinate: Omission Bias and Ambiguity". *Journal of Behavioral Decision Making* 3 (1990), pp. 263-277.

32. Esse estudo incluiu três diferentes condições em que se pedia a cada um que tomasse decisões médicas por outra pessoa. Os participantes foram aleatoriamente designados a assumir o papel de um médico tomando uma decisão para um paciente, um diretor clínico estabelecendo um protocolo de tratamento para todos os pacientes e um pai tomando uma decisão para o filho. Todas essas "tomadas de decisão por outra pessoa" apresentaram julgamentos equivalentes entre si e superiores se comparados ao que os participantes decidiam para si

mesmos. Fiz uma média entre a proporção das respostas para os propósitos do texto. ZIKMUND-FISHER, Brian J. et al. "A Matter of Perspective: Choosing for Others Differs from Choosing for Yourself in Making Treatment Decisions". *Journal of General Internal Medicine* 21 (2006), pp. 618-622.

33. Global Cancer Observatory. "Globocan 2018". International Agency for Research on Cancer, World Health Organization, 1, disponível em: <gco.iarc.fr/today/data/factsheets/cancers/39-All-cancers-fact-sheet.pdf>.

34. KAHNEMAN, Daniel. *Rápido e devagar: Duas formas de pensar.* Rio de Janeiro: Objetiva, 2012.

35. SUN, Qingzhou et al. "Self-Distancing Reduces Probability-Weighting Biases". *Frontiers in Psychology* 9 (2018), p. 611.

36. FUKUKURA, Jun; FERGUSON, Melissa J.; e FUJITA, Kentaro. "Psychological Distance Can Improve Decision Making Under Information Overload via Gist Memory". *Journal of Experimental Psychology: General* 142 (2013), pp. 658-665.

37. POLMAN, Evan. "Self-Other Decision Making and Loss Aversion". *Organizational Behavior and Human Decision Processes* 119 (2012), pp. 141-150; MENGARELLI, Flavia et al. "Economic Decisions for Others: An Exception to Loss Aversion Law". *PLoS One* 9 (2014), e85042; e ANDERSSON, Ola et al. "Deciding for Others Reduces Loss Aversion". *Management Science* 62 (2014), pp. 29-36.

38. KROSS, Ethan e GROSSMANN, Igor. "Boosting Wisdom: Distance from the Self Enhances Wise Reasoning, Attitudes, and Behavior". *Journal of Experimental Psychology: General* 141 (2012), pp. 43-48.

39. AYDUK e KROSS. "From a Distance: Implications of Spontaneous Self-Distancing for Adaptive Self-Reflection".

40. FINKEL, Eli J. et al. "A Brief Intervention to Promote Conflict Reappraisal Preserves Marital Quality over Time". *Psychological Science* 24 (2013), pp. 1595-1601.

41. Para uma análise, ver McADAMS, Dan P. e McLEAN, Kate C. "Narrative Identity". *Current Directions in Psychological Science* 22 (2013), pp. 233-238.

42. BRUEHLMAN-SENECAL, Emma e AYDUK, Özlem. "This Too Shall Pass: Temporal Distance and the Regulation of Emotional Distress". *Journal of Personality and Social Psychology* 108 (2015), pp. 356-375. Ver também BRUEHLMAN-SENECAL, Emma; AYDUK, Özlem; e JOHN, Oliver P. "Taking the Long View: Implications of Individual Differences in Temporal Distancing for Affect, Stress Reactivity, and Well-Being". *Journal of Personality and Social Psychology* 111 (2016), pp. 610-635; AHMED, S. P. "Using Temporal Distancing to Regulate Emotion in Adolescence: Modulation by Reactive Aggression". *Cognition and Emotion* 32 (2018), pp. 812-826; e HUYNH, Alex C.; YANG, Daniel Y. J.; e GROSSMANN, Igor. "The Value of Prospective Reasoning for Close Relationships". *Social Psychological and Personality Science* 7 (2016), pp. 893-902.

43. Para análises, ver: PENNEBAKER, James W. "Writing About Emotional Experiences as a Therapeutic Process". *Psychological Science* 8 (1997), pp. 162-166; PENNEBAKER, James W. e CHUNG, Cindy K. "Expressive Writing: Connections to Physical and Mental Health". In: FRIEDMAN, H. S. (org.). *The Oxford Handbook of Health Psychology*. Oxford: Oxford University Press, 2011, pp. 417-437; GORTNER, Eva-Maria; RUDE, Stephanie S.; e PENNEBAKER, James W. "Benefits of Expressive Writing in Lowering Rumination and Depressive Symptoms". *Behavior Therapy* 37 (2006), pp. 292-303; SLOAN, Denise M. et al. "Expressive Writing Buffers Against Maladaptive Rumination". *Emotion* 8 (2008), pp. 302-306; e KRPAN, Katherine M. et al. "An Everyday Activity as a Treatment for Depression: The Benefits of Expressive Writing for People Diagnosed with Major Depressive Disorder". *Journal of Affective Disorders* 150 (2013), pp. 1148-1151.

44. PARK, Jiyoung; AYDUK, Özlem; e KROSS, Ethan. "Stepping Back to Move Forward: Expressive Writing Promotes Self-Distancing".

Emotion 16 (2016), pp. 349-364. Como argumentam Park e seus colegas, isso não significa que distanciamento é o único fator que explica por que a escrita expressiva ajuda.

Capítulo quatro: Quando eu me torno você

1. Sobre o fenômeno também chamado de "Baader-Meinhof", ver *Oxford English Dictionary*, 6 de abril de 2020, disponível em: <https://www.oed.com/view/Entry/250279>.

2. Entrevista a Michael Wilbon. ABOTT, Henry. "LeBron James' Post-decision Interviews", ESPN, 9 de julho de 2010, disponível em: <https://www.espn.com/blog/truehoop/post/_/id/17856/lebron--james-post-decision-interviews>; e GRAY, Jim. "LeBron James 'The Decision'", ESPN, 8 de julho de 2010, disponível em: <https://www.youtube.com/watch?v=bHSLw8DLm20>.

3. Malala Yousafzai entrevistada por Jon Stewart, *The Daily Show with Jon Stewart*, 8 de outubro de 2013.

4. BARNES, Brooks. "Jennifer Lawrence Has No Appetite for Playing Fame Games". *The New York Times*, 9 de setembro de 2015.

5. CÉSAR, Júlio. *Caesar's Gallic War: With an Introduction, Notes, and Vocabulary by Francis W. Kelsey*. 7. ed. Boston: Allyn and Bacon, 1895.

6. ADAMS, Henry. *The Education of Henry Adams: An Autobiography*. Cambridge, MA: Massachusetts Historical Society, 1918.

7. DICKERSON, Sally e KEMENY, Margaret E. "Acute Stressors and Cortisol Responses: A Theoretical Integration and Synthesis of Laboratory Research". *Psychological Bulletin* 130 (2004), pp. 355-391.

8. KROSS, Ethan et al. "Self-Talk as a Regulatory Mechanism: How You Do It Matters". *Journal of Personality and Social Psychology* 106 (2014), pp. 304-324.

9. Para uma análise histórica e uma meta-análise, ver TACKMAN, Allison M. et al. "Depression, Negative Emotionality, and Self-Referential Language: A Multi-lab, Multi-measure, and Multi-language-task Research Synthesis". *Journal of Personality and Social Psychology* 116 (2019), pp. 817-834; e EDWARDS, To'Meisha e HOLTZMAN, Nicholas S. "A Meta-Analysis of Correlations Between Depression and First-Person Singular Pronoun Use". *Journal of Research in Personality* 68 (2017), pp. 63-68.

10. Os dois estudos que discuto no texto foram publicados depois do nosso trabalho sobre conversas internas. Como demonstram os artigos citados nas notas anteriores, contudo pesquisas realizadas muitas décadas atrás já mostravam um vínculo entre o uso do pronome na primeira pessoa do singular e efeitos negativos. Apresento estes estudos mais recentes sobre esse vínculo por representarem evidências particularmente convincentes da relação. TACKMAN et al. "Depression, Negative Emotionality, and Self-Referential Language: A Multi-lab, Multi-measure, and Multi-language-task Research Synthesis"; e EICHSTAEDT, Johannes C. et al. "Facebook Language Predicts Depression in Medical Records". *Proceedings of the National Academy of Sciences of the United States of America* 115 (2018), pp. 11203-11208.

11. Para análises, ver KROSS e AYDUK. "Self-Distancing: Theory, Research, and Current Directions"; e ORVELL, Ariana et al. "Linguistic Shifts: A Relatively Effortless Route to Emotion Regulation?". *Current Directions in Psychological Science* 28 (2019), pp. 567-573.

12. Vale questionar se o uso de "ele/a" para os que se identificam como não binários geraria resultados semelhantes. Embora não tenhamos testado essa ideia diretamente, em teoria podemos esperar que esses pronomes teriam a mesma função de distanciamento e controle de emoções.

13. KROSS et al. "Self-Talk as a Regulatory Mechanism"; DOLCOS, Sanda e ALBARRACIN, Dolores. "The Inner Speech of Behavioral Regulation: Intentions and Task Performance Strengthen When

You Talk to Yourself as a You". *European Journal of Social Psychology* 44 (2014), pp. 636-642; e GROSSMANN e KROSS. "Exploring Solomon's Paradox". Sobre outras áreas nas quais a conversa interna distanciada mostrou benefícios, ver: FURMAN, Celina; KROSS, Ethan; e GEARHARDT, Ashley. "Distanced Self-Talk Enhances Goal Pursuit to Eat Healthier". *Clinical Psychological Science* 8 (2020), pp. 366-373; ORVELL, Ariana et al. "Does Distanced Self--Talk Facilitate Emotion Regulation Across a Range of Emotionally Intense Experiences?". *Clinical Psychological Science* (no prelo); e LEITNER, Jordan B. et al. "Self-Distancing Improves Interpersonal Perceptions and Behavior by Decreasing Medial Prefrontal Cortex Activity During the Provision of Criticism". *Social Cognitive and Affective Neuroscience* 12 (2017), pp. 534-543.

14. KROSS, Ethan et al. "Third-Person Self-Talk Reduces Ebola Worry and Risk Perception by Enhancing Rational Thinking". *Applied Psychology: Health and Well-Being* 9 (2017), pp. 387-409.

15. WEIDMAN, Aaron C. et al. "Punish or Protect: How Close Relationships Shape Responses to Moral Violations". *Personality and Social Psychology Bulletin* 46 (2019).

16. ORVELL et al. "Linguistic Shifts"; e JAKOBSON, Roman. *Shifters, Verbal Categories, and the Russian Verb*. Cambridge, MA: Harvard University, Russian Language Project, Department of Slavic Languages and Literatures, 1957.

17. Para uma discussão, ver ORVELL et al. "Linguistic Shifts".

18. MOSER, Jason S. et al. "Third-Person Self-Talk Facilitates Emotion Regulation Without Engaging Cognitive Control: Converging Evidence from ERP and fMRI". *Scientific Reports* 7 (2017), pp. 1-9.

19. Ibid.

20. ORVELL et al. "Linguistic Shifts".

21. ITO, Robert. "Fred Rogers's Life in 5 Artifacts", *The New York Times,* 5 de junho de 2018.

22. BLASCOVICH, Jim e TOMAKA, Joe. "The Biopsychosocial Model of Arousal Regulation". *Advances in Experimental Social Psychology* 28 (1996), pp. 1-51; e LAZARUS, Richard S. e FOLKMAN, Susan. *Stress, Appraisal, and Coping.* Nova York: Springer, 1984.

23. Para uma análise, ver: JAMIESON, Jeremy P.; MENDES, Wendy Berry; e NOCK, Matthew K. "Improving Acute Stress Responses: The Power of Reappraisal". *Current Directions in Psychological Science* 22 (2013), pp. 51-56; ALTER, Adam L. et al. "Rising to the Threat: Reducing Stereotype Threat by Reframing the Threat as a Challenge". *Journal of Experimental Social Psychology* 46 (2010), pp. 155-171; e BROOKS, Alison Wood. "Get Excited: Reappraising Pre-performance Anxiety as Excitement". *Journal of Experimental Psychology: General* 143 (2014), pp. 1144-1158.

24. KROSS et al. "Self-Talk as a Regulatory Mechanism".

25. BLASCOVICH e TOMAKA. "The Biopsychosocial Model of Arousal Regulation"; e SEERY, Mark D. "Challenge or Threat? Cardiovascular Indexes of Resilience and Vulnerability to Potential Stress in Humans". *Neuroscience and Biobehavioral Reviews* 35 (2011), pp. 1603-1610.

26. STREAMER, Lindsey et al. "Not I, but She: The Beneficial Effects of Self-Distancing on Challenge/Threat Cardiovascular Responses". *Journal of Experimental Social Psychology* 70 (2017), pp. 235-241.

27. WHITE, Rachel E. et al. "The 'Batman Effect': Improving Perseverance in Young Children". *Child Development* 88 (2017), pp. 1563-1571. Stephanie e seu colegas estudaram o Efeito Batman em outros contextos. Em um dos estudos, eles mostraram que essa ferramenta pode promover o funcionamento executivo em crianças de 5 anos: WHITE, Rachel E. e CARLSON, Stephanie M. "What Would Batman Do? Self-Distancing Improves Executive Function in Young Children". *Developmental Science* 19 (2016), pp. 419-426. Em outro trabalho, elas mostraram que essa ferramenta só é realmente efetiva para crianças pequenas e crianças vulneráveis que se caracterizam

por baixos níveis de autocontrole quando trabalham em tarefas frustrantes que não têm solução: GRENELL, Amanda et al. "Individual Differences in the Effectiveness of Self-Distancing for Young Children's Emotion Regulation". *British Journal of Developmental Psychology* 37 (2019), pp. 84-100.

28. KAPLOW, Julie B. et al. "Out of the Mouths of Babes: Links Between Linguistic Structure of Loss Narratives and Psychosocial Functioning in Parentally Bereaved Children". *Journal of Traumatic Stress* 31 (2018), pp. 342-351.

29. LEAHY, Robert L. "Emotional Schema Therapy: A Bridge over Troubled Waters". In: HERBERT, J. D. e FORMAN, E. M. (orgs.). *Acceptance and Mindfulness in Cognitive Behavior Therapy: Understanding and Applying New Therapies.* Hoboken, NJ: John Wiley & Sons, 2011, pp. 109-131; e ASHFORTH, Blake E. e KREINER, Glen E. "Normalizing Emotion in Organizations: Making the Extraordinary Seem Ordinary". *Human Resource Management Review* 12 (2002), pp. 215-235.

30. PARK, AYDUK e KROSS. "Stepping Back to Move Forward".

31. Postagem de Sheryl Sandberg sobre a morte do marido no Facebook, em 3 de junho de 2015, disponível em: <www.facebook.com/sheryl/posts/10155617891025177:0>. Ver também Sheryl Sandberg em conversa com Oprah Winfrey, *Super Soul Sunday,* 25 de junho de 2017, disponível em: <http://www.oprah.com/own-super-soul-sunday/the--daily-habit-the-helped-sheryl-sandberg-heal-after-tragedy-video>.

32. ORVELL, Ariana; KROSS, Ethan; e GELMAN, Susan. "How 'You' Makes Meaning". *Science* 355 (2017), pp. 1299-1302. Ver também ORVELL, Ariana; KROSS, Ethan; e GELMAN, Susan. "Lessons Learned: Young Children's Use of Generic-You to Make Meaning from Negative Experiences". *Journal of Experimental Psychology: General* 148 (2019), pp. 184-191.

33. ORVELL, et al. "Linguistic Shifts".

34. ORVELL, KROSS e GELMAN. "How 'You' Makes Meaning".

Capítulo cinco: O poder e o perigo que vêm dos outros

1. GRAY, Steven. "How the NIU Massacre Happened". *Time*, 16 de fevereiro de 2008, disponível em: <content.time.com/time/nation/article/0,8599,1714069,00.html>.

2. VICARY, Amanda M. e FRALEY, R. Chris. "Student Reactions to the Shootings at Virginia Tech and Northern Illinois University: Does Sharing Grief and Support over the Internet Affect Recovery?". *Personality and Social Psychology Bulletin* 36 (2010), pp. 1555-1563; Relato do tiroteio de 14 de fevereiro de 2008 na Universidade do Norte de Illinois, disponível em: <https://www.niu.edu/forward/_pdfs/archives/feb14report.pdf>; SAULNY, Susan e DAVEY, Monica. "Gunman Kills at Least 5 at U.S. College". *The New York Times*, 15 de fevereiro de 2008; e CORLEY, Cheryl e SIMON, Scott. "NIU Students Grieve at Vigil". NPR, 16 de fevereiro de 2008, disponível em: <https://www.npr.org/templates/story/story.php?storyId=19115808&t=1586343329323>.

3. VICARY e FRALEY. "Student Reactions to the Shootings at Virginia Tech and Northern Illinois University".

4. SEERY, Mark D. et al. "Expressing Thoughts and Feelings Following a Collective Trauma: Immediate Responses to 9/11 Predict Negative Outcomes in a National Sample". *Journal of Consulting and Clinical Psychology* 76 (2008), pp. 657-667. A mensuração usada para catalogar a expressão de emoções após o 11 de Setembro consistiu em uma pergunta ampla que pedia aos participantes que compartilhassem o que pensavam sobre o atentado. Os autores usaram esse estímulo para avaliar a tendência dos participantes a expressar suas emoções para os outros (pp. 663, 665). Os autores demonstraram que pessoas que responderam à pergunta também afirmaram ter procurado mais a apoio emocional e ter desabafado com outros depois dos ataques (p. 664).

   Para fontes adicionais indicando que expressar emoções nem sempre é algo benéfico, ver: McNALLY, Richard; BRYANT, Richard J.; e EHLERS, Anke. "Does Early Psychological Intervention

Promote Recovery from Posttraumatic Stress?". *Psychological Science in the Public Interest* 4 (2003), pp. 45-79; Van EMMERYK, Arnold A. P. et al. "Single Session Debriefing After Psychological Trauma: A Meta-analysis". *Lancet* 360 (2002), pp. 766-771; BONANNO, George A. "Loss, Trauma, and Human Resilience: Have We Underestimated the Human Capacity to Thrive After Extremely Aversive Events?". *American Psychologist* 59 (2004), pp. 20-28; BUSHMAN. "Does Venting Anger Feed or Extinguish the Flame?"; BUSHMAN et al. "Chewing on It Can Chew You Up"; e RIMÉ. "Emotion Elicits the Social Sharing of Emotion".

5. ARISTÓTELES. *Poética*. São Paulo: Editora 34, 2015. Ver também: BUSHMAN, Brad J. "Catharsis of Aggression". In: BAUMEISTER, Roy F. e VOHS, Kathleen D. (orgs.). *Encyclopedia of Social Psychology*. Thousand Oaks, CA: Sage, 2007, pp. 135-137; e os editores da *Encyclopaedia Britannica*, "Catharsis", *Encyclopaedia Britannica*.

6. BREUER, Josef e FREUD, Sigmund. *Estudos sobre a histeria, 1893-1895*. São Paulo: Companhia das Letras, 2016.

7. Baseei-me na excelente síntese de Bernard Rimé do papel desempenhado pelos processos de desenvolvimento no estabelecimento de regulamentação da emoção como processo interpessoal para esta seção. RIMÉ. "Emotion Elicits the Social Sharing of Emotion".

8. BAUMEISTER, Roy F. e LEARY, Mark R. "The Need to Belong: Desire for Interpersonal Attachments as a Fundamental Human Motivation". *Psychological Bulletin* 117 (1995), pp. 497-529.

9. TAYLOR, Shelley E. "Tend and Befriend: Biobehavioral Bases of Affiliation Under Stress". *Current Directions in Psychological Science* 15 (2006), pp. 273-277.

10. Pesquisas indicam que só pensar em alguém com quem se importam, ativando a imagem mental daquela pessoa, já é suficiente para ativar uma espécie de orientador interno, um tipo de roteiro na cabeça das pessoas. Segundo os psicólogos Mario Mikulincer e Phillip Shaver, dois pioneiros na pesquisa da teoria do apego,

o roteiro mental silencioso funciona da seguinte forma: "Se eu encontrar um obstáculo e/ou ficar angustiado, posso pedir ajuda a alguém importante para mim; essa pessoa muito provavelmente vai estar disponível e ser solidária; vou sentir alívio e ser reconfortado pela proximidade com ela; depois posso retornar a outras atividades." MIKULINCER, Mario et al. "What's Inside the Minds of Securely and Insecurely Attached People? The Secure-Base Script and Its Associations with Attachment-Style Dimensions". *Journal of Personality and Social Psychology* 97 (2002), pp. 615-633.

Essa noção de roteiro surgiu numa série de estudos que realizei em 2015 com minha colega Vivian Zayan, psicóloga de Cornell, e seus alunos, para estudar se olhar imagens de figuras a que se apegavam teria implicações para ajudar pessoas a administrar o falatório. Especificamente, pedimos a pessoas que pensassem em uma experiência negativa que causasse falatório e depois pedimos que elas olhassem uma foto de sua mãe ou da mãe de outra pessoa. Exatamente como Mikulincer e Shaver teriam previsto, olhar para a imagem da mãe reduziu suas dores emocionais; eles se avaliaram como se sentindo muito melhor. SELCUK, Emre et al. "Mental Representations of Attachment Figures Facilitate Recovery Following Upsetting Autobiographical Memory Recall". *Journal of Personality and Social Psychology* 103 (2012), pp. 362-378.

11. DUPREZ, Christelle et al. "Motives for the Social Sharing of an Emotional Experience". *Journal of Social and Personal Relationships* 32 (2014), pp. 757-787. Ver também PAUW, Lisanne S. et al. "Sense or Sensibility? Social Sharers' Evaluations of Socio-affective vs. Cognitive Support in Response to Negative Emotions". *Cognition and Emotion* 32 (2018), pp. 1247-1264.

12. PAUW, Lisanne S. et al. "I Hear You (Not): Sharers' Expressions and Listeners' Inferences of the Need for Support in Response to Negative Emotions". *Cognition and Emotion* 33 (2019), pp. 1129-1243.

13. ROSE, Amanda J. "Co-rumination in the Friendships of Girls and Boys" *Child Development* 73 (2002), pp. 1830-1843; SPENDELOW,

Jason S.; SIMONDS, Laura M.; e AVERY, Rachel E. "The Relationship Between Co-rumination and Internalizing Problems: A Systematic Review and Meta-analysis". *Clinical Psychology and Psychotherapy* 24 (2017), pp. 512-527; STONE, Lindsey B. et al. "Co-rumination Predicts the Onset of Depressive Disorders During Adolescence". *Journal of Abnormal Psychology* 120 (2011), pp. 752-757; e HANKIN, Benjamin L.; STONE, Lindsey; e WRIGHT, Patricia Ann. "Co-rumination, Interpersonal Stress Generation, and Internalizing Symptoms: Accumulating Effects and Transactional Influences in a Multi-wave Study of Adolescents". *Developmental Psychopathology* 22 (2010), pp. 217-235. Ver também RIMÉ. "Emotion Elicits the Social Sharing of Emotion".

14. Para uma discussão sobre o papel que as teorias de ativação de propagação têm na ruminação, ver RUSTING e NOLEN-HOEK-SEMA. "Regulating Responses to Anger".

15. HIGH, Andrew C. e DILLARD, James Price. "A Review and Meta-analysis of Person-Centered Messages and Social Support Outcomes". *Communication Studies* 63 (2012), pp. 99-118; NILS, Frederic e RIMÉ, Bernard. "Beyond the Myth of Venting: Social Sharing Modes Determine Emotional and Social Benefits from Distress Disclosure". *European Journal of Social Psychology* 42 (2012), pp. 672-681; LEPORE, Stephen J. et al. "It's Not That Bad: Social Challenges to Emotional Disclosure Enhance Adjustment to Stress". *Anxiety, Stress, and Coping* 17 (2004), pp. 341-361; BATENBURG, Anika e DAS, Enny. "An Experimental Study on the Effectiveness of Disclosing Stressful Life Events and Support Messages: When Cognitive Reappraisal Support Decreases Emotional Distress, and Emotional Support Is Like Saying Nothing at All". *PLoS One* 9 (2014), e114169; e TREMMEL, Stephanie e SONNENTAG, Sabine. "A Sorrow Halved? A Daily Diary Study on Talking About Experienced Workplace Incivility and Next-Morning Negative Affect". *Journal of Occupational Health Psychology* 23 (2018), pp. 568-583.

16. SHEPPES, Gal. "Transcending the 'Good and Bad' and 'Here and Now' in Emotion Regulation: Costs and Benefits of Strategies Across

Regulatory Stages". *Advances in Experimental Social Psychology* 61 (2020). Para outras argumentações sobre o papel do tempo nas relações sociais, ver RIMÉ. "Emotion Elicits the Social Sharing of Emotion".

17. WREN, Christopher S. "2 Give Up After Holding 42 Hostages in a Harlem Bank". *The New York Times,* 19 de abril de 1973; GELB, Barbara. "A Cool-Headed Cop Who Saves Hostages". *The New York Times,* 17 de abril de 1977; VECCHI, Gregory M. et al. "Crisis (Hostage) Negotiation: Current Strategies and Issues in High-Risk Conflict Resolution". *Aggression and Violent Behavior* 10 (2005), pp. 533-551; NOESNER, Gary. *Stalling for Time.* Nova York: Random House, 2010; "Police Negotiation Techniques from the NYPD Crisis Negotiations Team". Harvard Law School, 11 de novembro de 2019, disponível em: <https://www.pon.harvard.edu/daily/crisis-negotiations/crisis-negotiations-and-negotiation-skills-insights-from-the--new-york-city-police-department-hostage-negotiations-team/>.

18. CHEUNG, Elaine O.; GARDNER, Wendi L.; e ANDERSON, Jason F. "Emotionships: Examining People's Emotion-Regulation Relationships and Their Consequences for Well-Being". *Social Psychological and Personality Science* 6 (2015), pp. 407-414.

19. It Gets Better Project, itgetsbetter.org. "How It All Got Started", disponível em: <https://itgetsbetter.org/blog/initiatives/how-it-all-got-started/>; STELTER, Brian. "Campaign Offers Help to Gay Youths". *The New York Times,* 18 de outubro de 2010; e SAVAGE, Dan. "Give 'Em Hope", *The Stranger,* 23 de setembro de 2010.

20. McNALLY, BRYANT e EHLERS. "Does Early Psychological Intervention Promote Recovery from Posttraumatic Stress?"; e Van EMMERIK et al. "Single Session Debriefing After Psychological Trauma".

21. Para análises da empatia na literatura especializada, ver ZAKI. *War for Kindness;* De WAAL e PRESTON. "Mammalian Empathy"; e WEISZ, Erika e ZAKI, Jamil. "Motivated Empathy: A Social Neuroscience Perspective". *Current Opinion in Psychology* 24 (2018), pp. 67-71.

22. Rafaeli e Gleason pesquisam relacionamentos e apresentam uma análise incisiva da literatura de apoio social em RAFAELI, Eshkol e GLEASON, Marci. "Skilled Support Within Intimate Relationships". *Journal of Family Theory and Review* 1 (2009), pp. 20-37. Também desenvolvem uma detalhada discussão da multitude de formas adicionais em que o apoio visível pode sair pela culatra. Eles observam que ele pode focar a atenção na fonte de estresse, aumentar quanto alguém se sente em dívida com o parceiro, ressaltar as desigualdades no relacionamento e ser interpretado como crítica (ainda que bem-intencionada).

23. BOLGER, Niall; ZUCKERMAN, Adam; e KESSLER, Ronald C. "Invisible Support and Adjustment to Stress". *Journal of Personality and Social Psychology* 79 (2000), pp. 953-961. Para uma replicação experimental desses resultados, ver BOLGER, Niall e AMAREL, David. "Effects of Social Support Visibility on Adjustment to Stress: Experimental Evidence". *Journal of Personality and Social Psychology* 92 (2007), pp. 458-475.

24. GIRME, Yuthika U. et al. "Does Support Need to Be Seen? Daily Invisible Support Promotes Next Relationship Well-Being". *Journal of Family Psychology* 32 (2018), pp. 882-893.

25. GIRME, Yuthika U.; OVERALL, Nickola C.; e SIMPSON, Jeffry A. "When Visibility Matters: Short-Term Versus Long-Term Costs and Benefits of Visible and Invisible Support". *Personality and Social Psychology Bulletin* 39 (2013), pp. 1441-1454.

26. ZEE, Katherine S. e BOLGER, Niall. "Visible and Invisible Social Support: How, Why, and When". *Current Directions in Psychological Science* 28 (2019):, pp. 314-320. Ver também ZEE, Katherine S. et al. "Motivation Moderates the Effects of Social Support Visibility". *Journal of Personality and Social Psychology* 114 (2018), pp. 735-765.

27. JAKUBIAK, Brittany K. e FEENEY, Brooke C. "Affectionate Touch to Promote Relational, Psychological, and Physical Well-Being in Adulthood: A Theoretical Model and Review of the Research". *Personality and Social Psychology Review* 21 (2016), pp. 228-252.

28. KOOLE, Sander L.; SIN, Mandy Tjew A.; e SCHNEIDER, Iris K. "Embodied Terror Management: Interpersonal Touch Alleviates Existential Concerns Among Individuals with Low Self-Esteem". *Psychological Science* 25 (2014), pp. 30-37.

29. Ibid.; e TAI, Kenneth; ZHENG, Xue; e NARAYANAN, Jayanth. "Touching a Teddy Bear Mitigates Negative Effects of Social Exclusion to Increase Prosocial Behavior". *Social Psychological and Personality Science* 2 (2011), pp. 618-626.

30. McGLONE, Francis; WESSBERG, Johan; e OLAUSSON, Hakan. "Discriminative and Affective Touch: Sensing and Feeling". *Neuron* 82 (2014), pp. 737-751. Para uma discussão sobre o papel que as fibras C desempenham no apoio social, ver JAKUBIAK e FEENEY. "Affectionate Touch to Promote Relational, Psychological, and Physical Well-Being in Adulthood".

31. MORRISON, India; LOKEN, Line S.; e OLAUSSON, Hakan. "The Skin as a Social Organ". *Experimental Brain Research* 204 (2009), pp. 305-314.

32. LEE, David S. et al. "When Chatting About Negative Experiences Helps – and When It Hurts: Distinguishing Adaptive Versus Maladaptive Social Support in Computer-Mediated Communication". *Emotion* 20 (2020), pp. 368-375. Para outras evidências indicando que os processos de compartilhamento social se generalizam nas interações através das redes sociais, ver CHOI e TOMA. "Social Sharing Through Interpersonal Media".

Capítulo seis: De fora para dentro

1. GELLMAN, Erik. "Robert Taylor Homes". Chicago Historical Society, disponível em: <http://www.encyclopedia.chicagohistory.org/pages/2478.html>.

2. MODICA, Aaron. "Robert R. Taylor Homes, Chicago, Illinois

(1959-2005)". BlackPast, 19 de dezembro de 2009, disponível em: <blackpast.org/aah/robert-taylor-homes-chicago-illinois-1959-2005>; HUNT, D. Bradford. "What Went Wrong with Public Housing in Chicago? A History of the Robert Taylor Homes". *Journal of the Illinois State Historical Society* 94 (2001). pp. 96-123; CARTER, Hodding. *Crisis on Federal Street.* PBS (1987).

3. KUO, Ming. "Coping with Poverty: Impacts of Environment and Attention in the Inner City". *Environment and Behavior* 33 (2001), pp. 5-34.

4. ULRICH, Roger S. "View Through a Window May Influence Recovery from Surgery". *Science* 224 (1984), pp. 420-421.

5. Para análises recentes da relação entre exposição à natureza e saúde, ver: BRATMAN, Gregory N. et al. "Nature and Mental Health: An Ecosystem Service Perspective". *Science Advances* 5 (2019), eaax0903; RUSSELL, Roly et al. "Humans and Nature: How Knowing and Experiencing Nature Affect Well-Being". *Annual Review of Environmental Resources* 38 (2013), pp. 473-502; McMAHAN, Ethan A. e ESTES, David. "The Effect of Contact with Natural Environments on Positive and Negative Affect: A Meta-analysis". *Journal of Positive Psychology* 10 (2015), pp. 507-519; e HARTIG, Terry et al. "Nature and Health". *Annual Review of Public Health* 35 (2014), pp. 207-228.

6. WHITE, Mathew P. et al. "Would You Be Happier Living in a Greener Urban Area? A Fixed-Effects Analysis of Panel Data". *Psychological Science* 24 (2013), pp. 920-928.

7. KARDAN, Omid et al. "Neighborhood Greenspace and Health in a Large Urban Center". *Scientific Reports* 5 (2015), p. 11610.

8. MITCHELL, Richard e POPHAM, Frank. "Effect of Exposure to Natural Environment on Health Inequalities: An Observational Population Study". *Lancet* 372 (2008), pp. 1655-1660. Ver também ROJAS-RUEDA, David et al. "Green Spaces and Mortality: A Systematic Review and Meta-analysis of Cohort Studies". *Lancet Planet Health* 3 (2019), pp. 469-477.

9. KAPLAN, Rachel e KAPLAN, Stephen. *The Experience of Nature: A Psychological Perspective.* Nova York: Cambridge University Press, 1989. Também consultei este artigo para contar a história dos Kaplan: CLAY, Rebecca A. "Green Is Good for You". *Monitor on Psychology* 32 (2001), p. 40.

10. JAMES, William. *Psychology: The Briefer Course.* Nova York: Holt, 1892.

11. Para uma excelente discussão sobre as diferenças entre atenção voluntária e atenção involuntária e como elas se relacionam com a natureza e a restauração da atenção, ver KAPLAN, Stephen e BERMAN, Marc G. "Directed Attention as a Common Resource for Executive Functioning and Self-Regulation". *Perspectives on Psychological Science* 5 (2010), pp. 43-57. Ver também BUSCHMAN, Timothy J. e MILLER, Earl K. "Top-Down Versus BottomUp Control of Attention in the Prefrontal and Posterior Parietal Cortices". *Science* 315 (2007), pp. 1860-1862.

12. BERMAN, Marc G.; JONIDES, John; e KAPLAN, Stephen. "The Cognitive Benefits of Interacting with Nature". *Psychological Science* 19 (2008), pp. 1207-1212. Ver também HARTIG, Terry et al. "Tracking Restoration in Natural and Urban Field Settings". *Journal of Environmental Psychology* 23 (2003), pp. 109-123.

13. BERMAN, Marc G. et al. "Interacting with Nature Improves Cognition and Affect for Individuals with Depression". *Journal of Affective Disorders* 140 (2012), pp. 300-305.

14. ENGEMANN, Kristine et al. "Residential Green Space in Childhood Is Associated with Lower Risk of Psychiatric Disorders from Adolescence into Adulthood". *Proceedings of the National Academy of Sciences of the United States of America* 116 (2019), pp. 5188-5193. Ver também WHITE et al. "Would You Be Happier Living in a Greener Urban Area?".

15. BRATMAN, Gregory N. et al. "Nature Experience Reduces Rumination and Subgenual Prefrontal Cortex Activation". *Proceedings*

of the National Academy of Sciences of the United States of America 112 (2015), pp. 8567-8572. Para uma replicação conceitual em nível comportamental, ver BRATMAN, Gregory N. et al. "The Benefits of Nature Experience: Improved Affect and Cognition". *Landscape and Urban Planning* 138 (2015), pp. 41-50, que relaciona uma caminhada na natureza (versus em regiões urbanas) a melhorias na ruminação, na ansiedade, em sentimentos positivos e no funcionamento da memória operacional.

16. Existe um nível natural de ceticismo que muita gente sente quando ouve falar dessas descobertas sobre os efeitos restauradores cognitivo e emocional da natureza. Na verdade, uma série de estudos criativos constatou que as pessoas costumam subestimar quanto a interação com espaços verdes pode melhorar o estado de espírito. NISBET, Elizabeth K. e ZELENSKI, John M. "Underestimating Nearby Nature: Affective Forecasting Errors Obscure the Happy Path to Sustainability". *Psychological Science* 22 (2011), pp. 1101-1106.

17. Departamento de Assuntos Econômicos e Sociais das Nações Unidas, Divisão de População. *World Urbanization Prospects: The 2018 Revision.* Nova York: United Nations, 2019; e RITCHIE, Hannah e ROSER, Max. "Urbanization". *Our World in Data* (2018, atualizado em 2019), disponível em: <https://ourworldindata.org/urbanization#migration-to-towns-and-cities-is-very-recent-mostly-limited-to-the-past-200-years>.

18. JIANG, Bin et al. "A Dose-Response Curve Describing the Relationship Between Urban Tree Cover Density and Self-Reported Stress Recovery". *Environment and Behavior* 48 (2016), pp. 607-629. Ver também: BROWN, Daniel K.; BARTON, Jo L.; e GLADWELL, Valerie F. "Viewing Nature Scenes Positively Affects Recovery of Autonomic Function Following Acute-Mental Stress". *Environmental Science and Technology* 47 (2013), pp. 5562-5569; BERMAN, JONIDES e KAPLAN. "Cognitive Benefits of Interacting with Nature"; e McMAHAN e ESTES. "Effect of Contact with Natural Environments on Positive and Negative Affect".

19. VAN HEDGER, Stephen C. et al. "Of Cricket Chirps and Car Horns: The Effect of Nature Sounds on Cognitive Performance". *Psychonomic Bulletin and Review* 26 (2019), pp. 522-530.

20. SHANAHAN, Danielle F. et al. "Health Benefits from Nature Experiences Depend on Dose". *Scientific Reports* 6 (2016), p. 28551. Ver também JIANG et al. "Dose-Response Curve Describing the Relationship Between Urban Tree Cover Density and Self-Reported Stress Recovery".

21. ReTUNE (Restoring Through Urban Nature Experience), Universidade de Chicago, disponível em: <https://appchallenge.uchicago. edu/retune/>, acesso em 4 de março de 2020. <ReTUNE app: https://retune-56d2e.firebaseapp.com/>.

22. Suzanne Bott, entrevista a Ethan Kross, 1º de outubro de 2008.

23. KUKIS, Mark. "The Most Dangerous Place in Iraq". *Time*, 11 de dezembro de 2006.

24. ANDERSON, Craig L.; MONROY, Maria; e KELTNER, Dacher. "Awe in Nature Heals: Evidence from Military Veterans, At-Risk Youth, and College Students". *Emotion* 18 (2018), pp. 1195-1202.

25. STELLAR, Jennifer E. et al. "Self-Transcendent Emotions and Their Social Functions: Compassion, Gratitude, and Awe Bind Us to Others Through Prosociality". *Emotion Review* 9 (2017), pp. 200-207; PIFF, Paul K. et al. "Awe, the Small Self, and Prosocial Behavior". *Journal of Personality and Social Psychology* 108 (2015), pp. 883-899; e SHIOTA, Michelle N.; KELTNER, Dacher; e MOSSMAN, Amanda. "The Nature of Awe: Elicitors, Appraisals, and Effects on Self-Concept". *Cognition and Emotion* 21 (2007), pp. 944-963.

26. Van ELK, Michiel et al. "The Neural Correlates of the Awe Experience: Reduced Default Mode Network Activity During Feelings of Awe". *Human Brain Mapping* 40 (2019), pp. 3561-3574.

27. BREWER, Judson A. et al. "Meditation Experience Is Associated with Differences in Default Mode Network Activity and Connectivity".

Proceedings of the National Academy of Sciences of the United States of America 108 (2011), pp. 20254-20259. Para uma discussão de como a experiência de arrebatamento se relaciona a psicodélicos em termos de funções subjacentes do cérebro, ver Van ELK et al. "The Neural Correlates of the Awe Experience: Reduced Default Mode Network Activity During Feelings of Awe". Ver também CARHART-HARRIS, Robin L. et al. "The Entropic Brain: A Theory of Conscious States Informed by Neuroimaging Research with Psychedelic Drugs". *Frontiers in Human Neuroscience* 3 (2014), p. 20.

28. Para uma discussão, ver STELLAR et al. "Self-Transcendent Emotions and Their Social Functions".

29. Por exemplo, ver BAI, Yang et al. "Awe, the Diminished Self, and Collective Engagement: Universals and Cultural Variations in the Small Self". *Journal of Personality and Social Psychology* 113 (2017), pp. 185-209.

30. Van ELK et al. "Neural Correlates of the Awe Experience".

31. Para uma argumentação equivalente, ver LE, Phuong Q. et al. "When a Small Self Means Manageable Obstacles: Spontaneous Self-Distancing Predicts Divergent Effects of Awe During a Subsequent Performance Stressor". *Journal of Experimental Social Psychology* 80 (2019), pp. 59-66. Esse interessante estudo também sugere que pessoas que tendem a se distanciar quando refletem sobre experiências negativas podem se beneficiar ao máximo de vivenciar um arrebatamento antes de um estressante discurso em público em termos de resposta cardiovascular.

32. RUDD, Melanie; VOHS, Kathleen D.; e AAKER, Jennifer. "Awe Expands People's Perception of Time, Alters Decision Making, and Enhances Well-Being". *Psychological Science* 23 (2012), pp. 1130-1136.

33. STELLAR, Jennifer E. et al. "Positive Affect and Markers of Inflammation: Discrete Positive Emotions Predict Lower Levels of Inflammatory Cytokines". *Emotion* 15 (2015), pp. 129-133.

34. STELLAR, Jennifer E. et al. "Awe and Humility". *Journal of Personality and Social Psychology* 114 (2018), pp. 258-269.

35. GROSSMANN e KROSS. "Exploring Solomon's Paradox".

36. GORDON, Amie et al. "The Dark Side of the Sublime: Distinguishing a Threat-Based Variant of Awe". *Journal of Personality and Social Psychology* 113 (2016), pp. 310-328.

37. NADAL, Rafael. *Rafa: My Story*, com John Carlin. Nova York: Hachette Books, 2013; CHASE, Chris. "The Definitive Guide to Rafael Nadal's 19 Bizarre Tennis Rituals". *USA Today*, 5 de junho de 2019.

38. LANDAU, Mark J.; KAY, Aaron C.; e WHITSON, Jennifer A. "Compensatory Control and the Appeal of a Structured World". *Psychological Bulletin* 141 (2015), pp. 694-722.

39. NADAL, Rafael. *Rafa.*

40. KONDO, Marie. *Arrume a sua casa, arrume a sua vida: A magia do método japonês para organizar o seu espaço e transformar a sua vida.* Rio de Janeiro: Sextante, 2015.

41. Como bem argumentam Landau, Kay e Whitson em sua análise "Compensatory Control and the Appeal of a Structured World", esse tópico foi tema de uma tremenda quantidade de pesquisas nos últimos sessenta anos, sendo estudado a partir de diversas perspectivas.

42. BANDURA, Albert. *Social Foundations of Thought and Action: A Social Cognitive Theory.* Englewood Cliffs, NJ: Prentice-Hall, 1986; e BANDURA. *Self-Efficacy: The Exercise of Control.* Nova York: Freeman, 1997.

43. Para análises, ver LANDAU, KAY e WHITSON. "Compensatory Control and the Appeal of a Structured World"; SHAPIRO, Jr., D. H.; SCHWARTZ, C. E.; e ASTIN, J. A. "Controlling Ourselves, Controlling Our World: Psychology's Role in Understanding Positive and Negative Consequences of Seeking and Gaining Control". *The American Psychologist* 51 (1996), pp. 1213-1230; e BANDURA.

Self-Efficacy: The Exercise of Control. Ver também RYAN, Richard M. e DECI, Edward L. "Self-Determination Theory and the Facilitation of Intrinsic Motivation, Social Development, and Well-Being". *American Psychologist* 55 (2000), pp. 68-78.

44. RICHARDSON, Michelle; ABRAHAM, Charles; e BOND, Rod. "Psychological Correlates of University Students' Academic Performance: A Systematic Review and Meta-analysis". *Psychological Bulletin* 138 (2012), pp. 353-387; SCHNEIDER, Michael e PRECKEL, Franzis. "Variables Associated with Achievement in Higher Education: A Systematic Review of Meta-analyses". *Psychological Bulletin* 143 (2017), pp. 565-600; STAJKOVIC, Alexander D. e LUTHANS, Fred. "Self-Efficacy and Work-Related Performance: A Meta-analysis". *Psychological Bulletin* 124 (1998), pp. 240-261.

45. BISCONTI, Toni L. e BERGEMAN, C. S. "Perceived Social Control as a Mediator of the Relationships Among Social Support, Psychological Well-Being, and Perceived Health". *Gerontologist* 39 (1999), pp. 94-103; MARTINI, Tanya S.; GRUSEC, Joan E.; e BERNARDINI, Silvia C. "Effects of Interpersonal Control, Perspective Taking, and Attributions on Older Mothers' and Adult Daughters' Satisfaction with Their Helping Relationships". *Journal of Family Psychology* 15 (2004), pp. 688-705.

46. Para uma discussão, ver NOLEN-HOEKSEMA, WISCO e LYUBOMIRSKY. "Rethinking Rumination".

47. Outro recurso muito usado para aumentar a sensação de controle é a religião, que proporciona às pessoas um senso de ordem, estrutura e organização nos níveis prático e espiritual. KAY, Aaron C. et al. "God and the Government: Testing a Compensatory Control Mechanism for the Support of External Systems". *Journal of Personality and Social Psychology* 95 (2008), pp. 18-35. Para uma discussão, ver LANDAU, KAY e WHITSON. "Compensatory Control and the Appeal of a Structured World".

48. LANDAU, KAY e WHITSON. "Compensatory Control and the Appeal of a Structured World".

49. WHITSON, Jennifer A. e GALINSKY, Adam D. "Lacking Control Increases Illusory Pattern Perception". *Science* 322 (2008), pp. 115-117.

50. CUTRIGHT, Keisha M. "The Beauty of Boundaries: When and Why We Seek Structure in Consumption". *Journal of Consumer Research* 38 (2012), pp. 775-790. Ver também HEINTZELMAN, Samantha J.; TRENT, Jason; e KING, Laura A. "Encounters with Objective Coherence and the Experience of Meaning in Life". *Psychological Science* 24 (2013), pp. 991-998.

51. TULLETT, Alexa M.; KAY, Aaron C.; e INZLICHT, Michael. "Randomness Increases Self-Reported Anxiety and Neurophysiological Correlates of Performance Monitoring". *Social Cognitive and Affective Neuroscience* 10 (2015), pp. 628-635.

52. ROSS, Catherine E. "Neighborhood Disadvantage and Adult Depression". *Journal of Health and Social Behavior* 41 (2000), pp. 177-187.

53. Nem todas as pessoas diagnosticadas com transtorno obsessivo-compulsivo se sentem motivadas a estabelecer ordem em seu entorno: FULLANA, Miguel. "Obsessions and Compulsions in the Community: Prevalence, Interference, Help-Seeking, Developmental Stability, and Co-occurring Psychiatric Conditions". *American Journal of Psychiatry* 166 (2009), pp. 329-336.

54. Para uma discussão, ver LANDAU, KAY e WHITSON. "Compensatory Control and the Appeal of a Structured World".

Capítulo sete: A magia da mente

1. Usei as seguintes fontes para contar a história de Mesmer: MAKARI, George J. "Franz Anton Mesmer and the Case of the Blind Pianist".

Hospital and Community Psychiatry 45 (1994), pp. 106-110; FOR-REST, Derek. "Mesmer". *International Journal of Clinical and Experimental Hypnosis* 50 (2001), pp. 295-308; LANSKA, Douglas J. e LANSKA, Joseph T. "Franz Anton Mesmer and the Rise and Fall of Animal Magnetism: Dramatic Cures, Controversy, and Ultimately a Triumph for the Scientific Method". In: WHITAKER, Harry (org.). *Brain, Mind, and Medicine: Essays in Eighteenth--Century Neuroscience*. Nova York: Springer, 2007, pp. 301-320; DINGFELDER, Sadie F. "The First Modern Psychology Study: Or How Benjamin Franklin Unmasked a Fraud and Demonstrated the Power of the Mind". *Monitor on Psychology* 41 (2010), <www.apa.org/monitor/2010/07-08/franklin>; e GALLO, David A. e FINGER, Stanley. "The Power of a Musical Instrument: Franklin, the Mozarts, Mesmer, and the Glass Armonica., *History of Psychology* 3 (2000), pp. 326-343.

2. FRANKLIN, Benjamin. *Report of Dr. Benjamin Franklin, and Other Commissioners, Charged by the King of France, with the Examination of Animal Magnetism, as Now Practiced at Paris.* Londres: printed for J. Johnson, 1785.

3. Esse notável salto à frente é em muito devido a um anestesista chamado Henry Beecher, que publicou este artigo em 1955: BEECHER, Henry. "The Powerful Placebo". *Journal of the American Medical Association* 159 (1955), pp. 1602-1606.

4. Os editores da *Encyclopaedia Britannica*. "Amulet". *Encyclopaedia Britannica*.

5. JACOBS, Joseph e SELIGSOHN, M. "Solomon, Seal of". *Jewish Encyclopedia,* disponível em: <www.jewishencyclopedia.com/articles/13843-solomon-seal-of>.

6. CAMPION, Mukti J. "How the World Loved the Swastika – Until Hitler Stole It". *BBC News,* 23 de outubro de 2014, disponível em: <www.bbc.com/news/magazine-29644591>.

7. SCHAEFER, Charles E. e CANGELOSI, Donna. *Essential Play*

Therapy Techniques: Time-Tested Approaches. Nova York: The Guilford Press, 2016.

8. SNIERSON, Dan. "Heidi Klum Reveals Victoria's Secret". *Entertainment Weekly,* 21 de novembro de 2003.

9. Equipe do NBA.com. "Legends Profile: Michael Jordan", NBA, disponível em: <www.nba.com/history/legends/profiles/michael--jordan>.

10. RAPHAEL, Rina. "Is There a Crystal Bubble? Inside the Billion-Dollar 'Healing' Gemstone Industry". *Fast Company,* 5 de maio de 2017.

11. Para uma excelente discussão da ginástica psicológica que explica como indivíduos racionais acreditam em crenças supersticiosas, ver RISEN, Jane. "Believing What We Do Not Believe: Acquiescence to Superstitious Beliefs and Other Powerful Intuitions". *Psychological Review* 123 (2016), pp. 182-207.

12. ASHAR, Yoni K.; CHANG, Luke J.; e WAGER, Tor D. "Brain Mechanisms of the Placebo Effect: An Affective Appraisal Account". *Annual Review of Clinical Psychology* 13 (2017), pp. 73-98; KAPTCHUK, Ted J. e MILLER, Franklin G. "Placebo Effects in Medicine". *New England Journal of Medicine* 373 (2015), pp. 8-9; e WAGER, Tor D. e ATLAS, Lauren Y. "The Neuroscience of Placebo Effects: Connecting Context, Learning and Health". *Nature Reviews Neuroscience* 16 (2015), pp. 403-418.

13. KAPTCHUK , Ted J. et al. "Components of Placebo Effect: Randomized Controlled Trial in Patients with Irritable Bowel Syndrome". *British Medical Journal* 336 (2008), pp. 999-1003.

14. MEISSNER, Karin et al. "Differential Effectiveness of Placebo Treatments: A Systematic Review of Migraine Prophylaxis". *JAMA Internal Medicine* 173 (2013), pp. 1941-1951.

15. WECHSLER, Michael E. et al. "Active Albuterol or Placebo, Sham Acupuncture, or No Intervention in Asthma". *New England Journal of Medicine* 365 (2011), pp. 119-126.

16. Para exemplos, ver: GEERS, Andrew L. et al. "Dispositional Optimism Predicts Placebo Analgesia". *The Journal of Pain* 11 (2010), pp. 1165-1171; PECINA, Marta et al. "Personality Trait Predictors of Placebo Analgesia and Neurobiological Correlates". *Neuropsychopharmacology* 38 (2013), pp. 639-646.

17. OLANOW, C. Warren et al. "Gene Delivery of Neurturin to Putamen and Substantia Nigra in Parkinson Disease: A Double-Blind, Randomized, Controlled Trial". *Annals of Neurology* 78 (2015), pp. 248-257. Para mais evidências de placebos que atenuam a doença de Parkinson, ver: FUENTE-FERNANDEZ, Raul de la et al. "Expectation and Dopamine Release: Mechanism of the Placebo Effect in Parkinson's Disease". *Science* 293 (2001), pp. 1164-1166; GOETZ, Christopher G. "Placebo Response in Parkinson's Disease: Comparisons Among 11 Trials Covering Medical and Surgical Interventions". *Movement Disorders* 23 (2008), pp. 690-699; American Parkinson Disease Association. "The Placebo Effect in Clinical Trials in Parkinson's Disease", 6 de março de 2017, disponível em: <www.apdaparkinson.org/article/the-placebo-effect-in-clinical-trials-in-parkinsons-disease/>.

18. KOBAN, Leonie et al. "Frontal-Brainstem Pathways Mediating Placebo Effects on Social Rejection". *Journal of Neuroscience* 37 (2017), pp. 3621-3631.

19. O outro lado do efeito emocional fortificante dos placebos também funciona. Em um fenômeno apelidado de efeito "nocebo", acreditar que uma substância será prejudicial também resultou nesse efeito em algumas circunstâncias. ENCK, Paul; BENEDETTI, Fabrizio; e SCHEDLOWSKI, Manfred. "New Insights into the Placebo and Nocebo Responses". *Neuron* 59 (2008), pp. 195-206.

20. Para uma análise, ver ASHAR, CHANG e WAGER. "Brain Mechanisms of the Placebo Effect".

21. KAHN, Arif; REDDING, Nick; e BROWN, Walter A. "The Per-

sistence of the Placebo Response in Antidepressant Clinical Trials". *Journal of Psychiatric Research* 42 (2008), pp. 791-796.

22. Stuart Heritage. "Tig Notaro and Her Jaw-Dropping Cancer Standup Routine". *Guardian,* 19 de outubro de 2012; MARANTZ, Andrew. "Good Evening. Hello. I Have Cancer". *New Yorker,* 5 de outubro de 2012; GRIGORIADIS, Vanessa. "Survival of the Funniest". *Vanity Fair,* 18 de dezembro de 2012; e NOTARO, Tig. *Live.* 2012.

23. CLARK, Andy. "Whatever Next? Predictive Brains, Situated Agents, and the Future of Cognitive Science". *Behavioral and Brain Sciences* 36 (2013), pp. 181-204.

24. KIRSCH, Irving. "Response Expectancy and the Placebo Effect". *International Review of Neurobiology* 138 (2018), pp. 81-93; e BÜCHEL, Christian et al. "Placebo Analgesia: A Predictive Coding Perspective". *Neuron* 81 (2014), pp. 1223-1239.

25. Para uma excelente discussão sobre o papel desempenhado pelos processos pré-conscientes e deliberativos nos efeitos do placebo, ver: ASHAR, CHANG e WAGER. "Brain Mechanisms of the Placebo Effect"; PRICE, Donald D.; FINNISS, Damien G.; e BENEDETTI, Fabrizio. "A Comprehensive Review of the Placebo Effect: Recent Advances and Current Thought". *Annual Review of Psychology* 59 (2008), pp. 565-590; e MEISSNER, Karin e LINDE, Klaus. "Are Blue Pills Better Than Green? How Treatment Features Modulate Placebo Effects". *International Review of Neurobiology* 139 (2018), pp. 357-378; JENNINGS, John D. et al. "Physicians' Attire Influences Patients' Perceptions in the Urban Outpatient Surgery Setting". *Clinical Orthopaedics and Related Research* 474 (2016), pp. 1908-1918.

26. Como analisado em ASHAR, CHANG e WAGER. "Brain Mechanisms of the Placebo Effect.". Ver também: HERRNSTEIN, R. J. "Placebo Effect in the Rat". *Science* 138 (1962), pp. 677-678; GOU, Jian-You et al. "Placebo Analgesia Affects the Behavioral Despair Tests and Hormonal Secretions in Mice". *Psychopharmacology* 217

(2011), pp. 83-90; e MUNANA, K. R.; ZHANG, D.; e PATTER-SON, E. E. "Placebo Effect in Canine Epilepsy Trials". *Journal of Veterinary Medicine* 24 (2010), pp. 166-170.

27. WAGER e ATLAS. "The Neuroscience of Placebo Effects".

28. PLASSMANN, Hilke et al. "Marketing Actions Can Modulate Neural Representations of Experienced Pleasantness". *Proceedings of the National Academy of Sciences* 105 (2008), pp. 1050-1054.

29. CRUM, Alia J. et al. "Mind over Milkshakes: Mindsets, Not Just Nutrients, Determine Ghrelin Response". *Health Psychology* 30 (2011), pp. 424-429.

30. ASHAR, CHANG e WAGER. "Brain Mechanisms of the Placebo Effect".

31. KAM-HANSEN, Slavenka et al. "Altered Placebo and Drug Labeling Changes the Outcome of Episodic Migraine Attacks". *Science Translational Medicine* 6 (2014), 218ra5.

32. Para uma referência clássica, ver PETTY, Richard E. e CACIOPPO, John T. "The Elaboration Likelihood Model of Persuasion". *Advances in Experimental Social Psychology* 19 (1986), pp. 123-205.

33. KAPTCHUK, Ted J. et al. "Placebos Without Deception: A Randomized Controlled Trial in Irritable Bowel Syndrome". *PLoS One* 5 (2010), e15591.

34. GUEVARRA, Darwin et al. "Are They Real? Non-deceptive Placebos Lead to Robust Declines in a Neural Biomarker of Emotional Reactivity". *Nature Communications*.

35. CHARLESWORTH, James E. G. et al. "Effects of Placebos Without Deception Compared with No Treatment: A Systematic Review and Meta-analysis". *Journal of Evidence-Based Medicine* 10 (2017), pp. 97-107.

36. FIRTH, Raymond W. "Bronislaw Malinowski: Polish-Born British Anthropologist", *Encyclopaedia Britannica,* fevereiro de 2019;

FLETCHER, Katharine. "Bronislaw Malinowski – LSE pioneer of Social Anthropology". LSE History, 13 de junho de 2017, disponível em: <https://blogs.lse.ac.uk/lsehistory/2017/06/13/bronislaw-malinowski-lse-pioneer-of-social-anthropology/>; YOUNG, Michael W. e MALINOWSKI, Bronislaw. *Malinowski's Kiriwina: Fieldwork Photography, 1915-1918*. Chicago: University of Chicago Press, 1998.

37. SUI, Cindy e LACEY, Anna. "Asia's Deadly Secret: The Scourge of the Betel Nut". *BBC News,* disponível em: <https://www.bbc.com/news/health-31921207>; "Bronislaw Malinowski (1884-1942)". *Lapham's Quarterly,* disponível em: <www.laphamsquarterly.org/contributors/malinowski>.

38. MALINOWSKI, Bronislaw. *Argonauts of the Western Pacific: An Account of Native Enterprise and Adventure in the Archipelagoes of Melanesian New Guinea.* Long Grove, IL: Waveland Press, 2010, loc. 5492-5493, Kindle; MALINOWSKI, Bronislaw. "Fishing in the Trobriand Islands". *Man* 18 (1918), pp. 87-92; MALINOWSKI, Bronislaw. *Man, Science, Religion, and Other Essays.* Boston: Beacon Press, 1948.

39. Nesta seção do livro utilizei esta excelente análise sobre a psicologia de rituais: HOBSON, Nicholas M. et al. "The Psychology of Rituals: An Integrative Review and Process-Based Framework". *Personality and Social Psychology Review* 22 (2018), pp. 260-284.

40. American Battlefield Trust "10 Facts: The United States Military Academy at West Point", disponível em: <www.battlefields.org/learn/articles/10-facts-united-states-military-academy-west-point>.

41. McLAREN, Samantha. "A 'No Shoes' Policy and 4 Other Unique Traditions That Make These Company Cultures Stand Out". Linkedin Talent Blog, 12 de novembro de 2018, disponível em: <business.linkedin.com/talent-solutions/blog/company-culture/2018/unique-traditions-that-make-these-company-cultures-stand-out>.

42. GMELCH, George. "Baseball Magic". In: HICKS, David (org.). *Ritual and Belief*. Plymouth, UK: AltaMira Press, 2010, pp. 253-262; BRENNAN, Jay. "Major League Baseball's Top Superstitions and Rituals". Bleacher Report, 3 de outubro de 2017, disponível em: <bleacher-report.com/articles/375113-top-mlb-superstitions-and-rituals>; e HUTSON, Matthew. "The Power of Rituals". *Boston Globe,* 18 de agosto de 2016.

43. JOBS, Steve. "Discurso de formatura para a Universidade Stanford, em 12 de junho de 2005". *Stanford News,* 14 de junho de 2005.

44. NORTON, Michael I. e GINO, Francesca. "Rituals Alleviate Grieving for Loved Ones, Lovers, and Lotteries". *Journal of Experimental Psychology: General* 143 (2014), pp. 266-272.

45. LANG, Martin et al. "Effects of Anxiety on Spontaneous Ritualized Behavior". *Current Biology* 25 (2015), pp. 1892-1897; KEINAN, Giora. "Effects of Stress and Tolerance of Ambiguity on Magical Thinking". *Journal of Personality and Social Psychology* 67 (1994), pp. 48-55; e RACHMAN, Stanley J. e HODGSON, Ray J. *Obsessions and Compulsions*. Upper Saddle River, NJ: Prentice-Hall, 1980.

46. SOSIS, Richard e HANDWERKER, W. Penn. "Psalms and Coping with Uncertainty: Religious Israeli Women's Responses to the 2006 Lebanon War". *American Anthropologist* 113 (2011), pp. 40-55.

47. ANASTASI, Matthew W. e NEWBERG, Andrew B. "A Preliminary Study of the Acute Effects of Religious Ritual on Anxiety". *Journal of Alternative and Complementary Medicine* 14 (2008), pp. 163-165.

48. TIAN, Allen Ding et al. "Enacting Rituals to Improve Self-Control". *Journal of Personality and Social Psychology* 114 (2018), pp. 851-876.

49. BROOKS, Alison Wood et al. "Don't Stop Believing: Rituals Improve Performance by Decreasing Anxiety". *Organizational Behavior and Human Decision Processes* 13 (2016), pp. 71-85. Há também evidências que indicam que realizar rituais reduz a ativação de sistemas no cérebro que se tornam ativos quando pessoas se sentem

ansiosas. HOBSON, Nicholas M.; BONK, Devin; e INZLICHT, Michael. "Rituals Decrease the Neural Response to Performance Failure". *PeerJ* 5 (2017), e3363.

50. HOBSON et al. "Psychology of Rituals".

51. MORLEY, Gary. "Rice's Rituals: The Golden Girl of Australian Swimming". CNN, 28 de junho de 2012, disponível em: <www.cnn.com/2012/06/28/sport/olympics-2012-stephanie-rice-australia/index.html>.

52. LANG et al. "Effects of Anxiety on Spontaneous Ritualized Behavior".

53. WATSON-JONES, Rachel E.; WHITEHOUSE, Harvey; e LEGARE, Cristine H. "In-Group Ostracism Increases High-Fidelity Imitation in Early Childhood". *Psychological Science* 27 (2016), pp. 34-42.

54. HIGGINS, E. Tory. "Self-Discrepancy: A Theory Relating Self and Affect". *Psychological Review* 94 (1987), pp. 319-340; e CARVER, Charles S. e SCHEIER, Michael F. "Control Theory: A Useful Conceptual Framework for Personality-Social, Clinical, and Health Psychology". *Psychological Bulletin* 92 (1982), pp. 111-135. Ver também MILLER, Earl K. e COHEN, Jonathan D. "An Integrative Theory of Prefrontal Cortex Function". *Annual Review of Neuroscience* 24 (2001), pp. 167-202.

55. BROOKS et al. "Don't Stop Believing".

Conclusão

1. Isso não significa que meditação ou atenção plena não sejam úteis. Assim como outras técnicas analisadas neste capítulo, são ferramentas úteis em alguns contextos. Meu argumento é que não é útil (nem viável) concentrar-se continuamente no presente, pois o progresso em geral nos requer uma reflexão sobre o futuro e o passado.

2. KELTNER, Dacher e GROSS, James J. "Functional Accounts of Emotions". *Cognition and Emotion* 13 (1999), pp. 467-480; e NESSE, Randolph M. "Evolutionary Explanations of Emotions". *Human Nature* 1 (1989), pp. 261-289.

3. U.S. National Library of Medicine. "Congenital Insensitivity to Pain". National Institutes of Health, 10 de dezembro de 2019, disponível em: <ghr.nlm.nih.gov/condition/congenital-insensitivity--to-pain#genes>.

4. O currículo para esse projeto se concentra principalmente em ensinar estudantes a controlar suas emoções usando várias das estratégias expostas em *A voz na sua cabeça*, junto com outras ferramentas confirmadas empiricamente.

5. Esse estudo teve lugar no inverno de 2019 em uma escola de ensino médio no nordeste dos Estados Unidos. Os alunos foram designados aleatoriamente ao currículo caixa de ferramentas ou a um currículo de "controle" que ensinava aos alunos a ciência do aprendizado. Os currículos foram criados em conjunto por cientistas (Angela Duckworth, Daniel Willingham, John Jonides, Ariana Orvell, Benjamin Katz e eu) e professores (Rhiannon Killian e Keith Desrosiers).

6. Para uma discussão sobre a importância do uso flexível de diferentes estratégias para administrar as emoções, ver: CHENG, Cecilia. "Cognitive and Motivational Processes Underlying Coping Flexibility: A Dual-Process Model". *Journal of Personal and Social Psychology* 84 (2003), pp. 425-438; e BONANNO, George A. e BURTON, Charles L. "Regulatory Flexibility: An Individual Differences Perspective on Coping and Emotion Regulation". *Perspectives on Psychological Science* 8 (2013), pp. 591-612.

7. GROSS, James J. "Emotion Regulation: Current Status and Future Prospects". *Psychological Inquiry* 26 (2015), pp. 1-26; e KROSS, Ethan. "Emotion Regulation Growth Points: Three More to Consider". *Psychological Inquiry* 26 (2015), pp. 69-71.

CONHEÇA ALGUNS DESTAQUES DE NOSSO CATÁLOGO

- Augusto Cury: Você é insubstituível (2,8 milhões de livros vendidos), Nunca desista de seus sonhos (2,7 milhões de livros vendidos) e O médico da emoção
- Dale Carnegie: Como fazer amigos e influenciar pessoas (16 milhões de livros vendidos) e Como evitar preocupações e começar a viver
- Brené Brown: A coragem de ser imperfeito – Como aceitar a própria vulnerabilidade e vencer a vergonha (600 mil livros vendidos)
- T. Harv Eker: Os segredos da mente milionária (2 milhões de livros vendidos)
- Gustavo Cerbasi: Casais inteligentes enriquecem juntos (1,2 milhão de livros vendidos) e Como organizar sua vida financeira
- Greg McKeown: Essencialismo – A disciplinada busca por menos (400 mil livros vendidos) e Sem esforço – Torne mais fácil o que é mais importante
- Haemin Sunim: As coisas que você só vê quando desacelera (450 mil livros vendidos) e Amor pelas coisas imperfeitas
- Ana Claudia Quintana Arantes: A morte é um dia que vale a pena viver (400 mil livros vendidos) e Pra vida toda valer a pena viver
- Ichiro Kishimi e Fumitake Koga: A coragem de não agradar – Como se libertar da opinião dos outros (200 mil livros vendidos)
- Simon Sinek: Comece pelo porquê (200 mil livros vendidos) e O jogo infinito
- Robert B. Cialdini: As armas da persuasão (350 mil livros vendidos)
- Eckhart Tolle: O poder do agora (1,2 milhão de livros vendidos)
- Edith Eva Eger: A bailarina de Auschwitz (600 mil livros vendidos)
- Cristina Núñez Pereira e Rafael R. Valcárcel: Emocionário – Um guia lúdico para lidar com as emoções (800 mil livros vendidos)
- Nizan Guanaes e Arthur Guerra: Você aguenta ser feliz? – Como cuidar da saúde mental e física para ter qualidade de vida
- Suhas Kshirsagar: Mude seus horários, mude sua vida – Como usar o relógio biológico para perder peso, reduzir o estresse e ter mais saúde e energia

sextante.com.br